L'ÉDUCATION ÉCLAIRÉE PAR LA PSYCHANALYSE

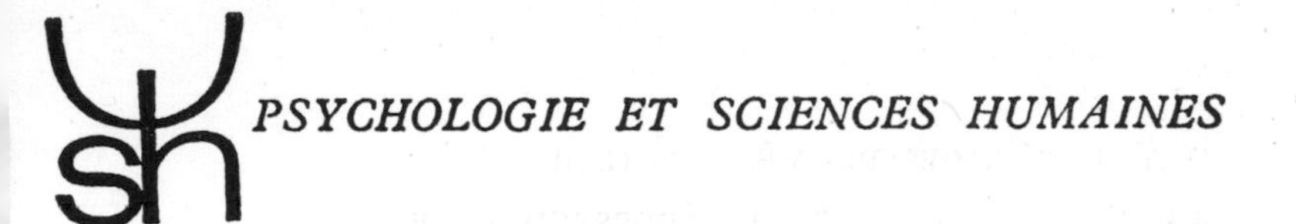

Louis Corman

l'éducation éclairée par la psychanalyse

CHARLES DESSART, ÉDITEUR

2, GALERIE DES PRINCES, BBUXELLES

AUTRES OUVRAGES DU MÊME AUTEUR
SUR LA PÉDAGOGIE ET LA PÉDOPSYCHIATRIE

L'Éducation dans la confiance, Stock, 1945.

L'Enfant fatigué. Conseils, Oliven, 1954.

Le Test P N. Tome I. Manuel, P.U.F., 1961.
Tome II. Le Complexe d'Œdipe, P.U.F., 1971
Planches du Test au Centre de Psychologie Appliquée, Paris.

Le Test du Dessin de Famille, P.U.F., 1964.

Le Gribouillis. Un test de personnalité profonde, P.U.F., 1966.

L'examen psychologique d'un enfant, Dessart., 1968.

Psychopathologie de la Rivalité fraternelle., Bruxelles, 1970.

D/1973/0024/6
Printed in Belgium
I.S.B.N. 2 - 87009 - 002 - 1

PRÉFACE

L'éducation éclairée par la psychanalyse. *Ce titre exprime très exactement notre dessein, qui est essentiellement d'éducation. Nous ne sommes pas psychanalyste, mais nous devons à la réflexion psychanalytique la majeure partie de nos connaissances sur l'enfant, et nous pensons qu'il n'est pas possible aujourd'hui de faire œuvre éducative valable sans être au courant de la très grande importance des processus inconscients dans la psychologie de l'enfant, comme d'ailleurs tout aussi bien dans celle de l'adulte.*

La psychanalyse, selon nous, projette une vive lumière sur nombre de problèmes que la psychologie traditionnelle n'avait pas résolus. Soulignons qu'il s'agit moins ici pour les éducateurs d'être instruits de la doctrine psychanalytique que d'en être imprégnés, d'acquérir une sensibilité psychologique nouvelle *qui permette une meilleure communication des consciences par la voie de l'inconscient.*

Cet ouvrage n'est donc pas un livre de psychanalyse, mais un livre d'éducation. *Les spécialistes en la matière voudront bien nous pardonner de n'avoir pas cité nos sources d'information. Si notre exposé relate surtout le résultat de nos nombreuses années de pratique pédagogique et pédopsychiatrique, et comme tel peut se suffire à lui-même, nous reconnaissons bien volontiers que nous nous sommes constamment inspiré des enseignements des psychanalystes, au premier rang desquels, bien assurément, se place la très grande figure de son créateur,* Sigmund Freud. *Si nous n'avons pas à chaque page cité les auteurs qui nous ont instruit, c'est, on le comprendra sans peine, pour ne pas alourdir notre exposé, pour faire qu'il reste ce qu'il est destiné à être :* un ouvrage de pratique à l'usage des éducateurs.

Nous avons cependant tenu à indiquer dans notre Bibliographie, à la fin du livre, les principaux ouvrages qui sont parus en langue française sur le même problème, et qui peuvent être pour les éducateurs d'utiles compléments d'information.

INTRODUCTION

A la question : *qu'est-ce que l'éducation des enfants?* deux réponses sont possibles, car il est pour les éducateurs deux voies très différentes.

D'un côté, ils peuvent se proposer d'*adapter l'enfant au milieu où il est appelé à vivre*, milieu familial, milieu scolaire, milieu social.

De l'autre, ils peuvent avoir pour dessein de *développer au mieux la personnalité de l'enfant dans ce qu'elle a d'original* et de possiblement créateur.

Il en dérive deux méthodes éducatives qui souvent s'opposent. Dans la première, on impose de bonne heure aux enfants des règles strictes qui, appliquées uniformément à tous, formeront des adultes pleinement respectueux de l'ordre établi et préférant la discipline collective à la liberté individuelle.

Dans la seconde, on veut, tout à l'inverse, favoriser au maximum l'individualité de chaque enfant, sa pleine liberté de sentir, d'agir et de penser, fût-il pour cela nécessaire de contester et de refuser les valeurs collectives sur lesquelles est fondée la Société.

Entre ces deux méthodes d'éducation, il faut bien entendu opter; il faut se demander pourquoi on opte ainsi, et être pleinement conscient des conséquences de son choix pour l'avenir de l'enfant.

En ce qui nous concerne, nous optons pour un compromis, pour une conciliation entre ces deux visées éducatives opposées. Nous estimons que, *tout en modelant l'enfant qui grandit suivant le type commun du sujet bien adapté, nous devons sauvegarder son individualité particulière et favoriser l'épanouissement de ses aptitudes créatrices.*

L'avantage de cette attitude de compromis, c'est qu'elle est beaucoup plus souple que les prises de position extrêmes, raidies dans leur fanatisme doctrinal. C'est que, en l'adoptant, on pourra, selon les circonstances, et aussi selon le tempérament propre de chaque enfant, faire prédominer tantôt le côté règle et tantôt le côté liberté. Tout bon éducateur se doit en effet d'être éclectique; d'une part il doit s'adapter au climat social dans lequel il opère, et il n'est par exemple que trop certain qu'à notre époque de revendication libertaire, on ne peut appliquer à une famille, comme en vase clos, la méthode autoritaire du « pater familias » si prisée jadis; d'autre part, l'éducateur se doit de reconnaître les dispositions individuelles de chaque enfant, le juste dosage de discipline et de liberté dont celui-ci a besoin pour se développer au mieux.

Quel est en ce domaine éducatif le point de vue de la psychanalyse? Rappelons qu'elle a été à l'origine d'une revendication de liberté instinctive, et qu'elle a particulièrement souligné le danger des contraintes éducatives quand elles vont jusqu'à inhiber toute la spontanéité vitale, et qu'en cela elle s'est violemment heurtée aux opinions régnantes. On aurait cependant tort d'en conclure, comme on l'a fait parfois, que la psychanalyse est destructrice de l'ordre social, car ce serait méconnaître quel rôle essentiel elle attribue au Moi dans l'élaboration de la vie instinctive, et l'importance primordiale qu'elle accorde notamment à la *sublimation*, par laquelle les instincts s'intègrent d'une manière constructive à la vie sociale.

On a d'ailleurs plus récemment fait à la psychanalyse le reproche inverse, en lui contestant le droit qu'elle s'attribue d'obtenir la guérison des névrotiques par une réadaptation à l'ordre social existant. Mais on se trompe, ici encore, car si le rétablissement de l'équilibre de la personnalité suppose une régulation intérieure du Moi et des pulsions instinctives, et si cette régulation reproduit plus ou moins le régime de discipline collective d'une société donnée, il ne s'ensuit nullement que la psychanalyse « récupère », selon une expression très en usage à notre époque, les individus pour ladite société; il n'en reste pas moins qu'à ceux qui contestent le bien-fondé d'un certain système social de règles, il incombe d'en établir un meilleur, car l'expérience enseigne qu'il est impossible de vivre sans aucune discipline.

En bref, le point de vue psychanalytique en éducation est donc aussi un point de vue de compromis, comme on le verra dans cet ouvrage, dont une des idées essentielles est précisément, dans tous les domaines, la nécessaire *harmonie des contraires*, fondement même de l'équilibre physique et psychique.

Nous allons le montrer en examinant comment se réalise l'adaptation de l'être humain au monde qui l'entoure.

Lorsqu'on étudie l'être dans son développement, on constate que ce développement est assuré par une force intérieure, qui est la force même de la vie, la *force vitale*.

Cette notion de force vitale n'est pas, quoiqu'on en ait pu dire, une pure abstraction sans portée pratique. Nous la concevons quant à nous d'une manière très concrète comme une force d'expansion (mot qu'il faut comprendre dans le même sens où l'on parle de l'expansion des gaz, de l'expansion économique...) Selon nous, ce n'est pas, comme on l'a longtemps soutenu, l'*instinct de conservation* qui caractérise la vie, c'est l'*instinct d'expansion.* La vie, en effet, n'aspire pas tant à se conserver qu'à s'accroître, à devenir plus grande et plus forte, à progresser dans tous les domaines, à élargir de plus en plus l'espace où elle se déploie. L'*instinct d'expansion*, c'est l'instinct des natures fortes, des êtres en qui la vie abonde et qui sont en pleine possession de toutes leurs capacités créatrices. Au contraire, l'*instinct de conservation* est l'instinct des natures faibles, des malades et des vieillards, de tous ceux en qui la vie est menacée et dont l'organisme doit, pour subsister, retenir en lui-même ses forces réduites.

Mais nous avons ici un premier exemple de l'harmonie des contraires. Car cette opposition des deux instincts fondamentaux ne doit pas faire méconnaître qu'ils sont l'un et l'autre également nécessaires : *la bonne adaptation se caractérise par un juste équilibre entre les deux mouvements contraires d'expansion et de conservation.*

Une comparaison le fera bien comprendre. L'organisme vivant est comparable à un véhicule pourvu d'un moteur et d'un frein; le moteur, qui le fait progresser, c'est la force d'expansion; le frein, c'est la force de conservation. Il faut un frein pour empêcher le véhicule d'atteindre des vitesses dangereuses et au besoin l'arrêter en cas d'obstacle. De même l'organisme vivant, comme nous le montrerons, ne peut se laisser aller sans danger à une expansion sans limite, et l'instinct de conservation intervient alors comme frein à cette expansion. Mais il est d'autre part bien évident que si le frein équilibrait exactement la puissance du moteur et si son action était continue, le véhicule ne pourrait avancer.

De même, pour qu'un organisme vivant puisse évoluer, il faut qu'en lui la force d'expansion prédomine, comme on le voit bien dans l'enfance et l'adolescence, périodes de croissance et de progrès maxima. C'est pourquoi nous avons en débutant accordé la prévalence à l'instinct d'expansion. Il s'en déduit pour les éducateurs une règle impérative : *qu'il faut à tout prix sauvegarder chez l'enfant cette force expansive, car elle conditionne tous les progrès et toutes les créations, et qu'il faut en conséquence prohiber en éducation toutes les règles inhibitrices.* Ce que *Foerster* dit excellemment en d'autres termes : *traduire les exigences de la morale dans le langage de la vie croissante.*

Cette notion de force vitale d'expansion, telle que nous la professons, coïncide très exactement avec ce que le psychanalyste *Jung* appelle la *libido*, à la condition qu'on conçoive celle-ci, comme il le fait, dans son sens le plus large, et non comme on le fait parfois dans son sens restreint de force sexuelle.

La libido est inconsciente ; inconsciente aussi la force d'expansion vitale, qui anime les êtres à leur insu. On sait que cette vie inconsciente a été reconnue par les psychanalystes comme ayant une importance de tout premier plan. Elle est le foyer central au niveau duquel le corporel et le psychique sont confondus dans un élan commun, ne devant se différencier que plus tard, de sorte qu'ils garderont de leur origine des attaches très profondes. Dans la petite enfance, cette différenciation n'est pas faite encore, et l'étude du développement se doit de ne pas séparer ce qui se passe dans le corps et ce qui se passe dans l'esprit. *Il n'est donc pas possible, au cours de la croissance, d'opposer l'hygiène et l'éducation*, l'une qui ne s'occuperait que du corps, et l'autre qui ne s'occuperait que de l'esprit; les deux se confondent. Il en résulte que *notre action éducative s'exerce dès la naissance*, dès cette époque de la vie où l'on considérait jadis que l'enfant était une petite larve, pour laquelle comptaient seuls le boire et le manger. Il en résulte aussi que *notre action éducative doit se baser sur une compréhension en profondeur des processus psycho-physiologiques*, laquelle est très éloignée en beaucoup de points de la conception rationnelle des méthodes éducatives d'antan. Et *c'est dans ce sens que la psychanalyse, cette psychologie des profondeurs, éclaire l'éducation*, et en particulier qu'elle renouvelle entièrement le problème des relations de l'enfant avec son milieu et sa famille.

Tous les individus n'ont pas à la naissance une égale force d'expansion, et c'est en cela principalement que réside leur diversité : les uns sont dotés d'une forte expansion vitale, les autres en ont peu. On tend à notre époque à sous-estimer et même parfois à nier l'importance de ce facteur héréditaire, et à penser que c'est uniquement le milieu où l'être vivant se développera qui va conditionner toutes ses possibilités ultérieures. Attitude extrême ici encore, qui méconnaît le nécessaire compromis entre les deux facteurs : *l'héréditaire et l'acquis*. On pourrait dire que les jeux sont faits à la naissance, mais en partie seulement, en ce sens que la plupart des aptitudes sont innées, et que le milieu ne crée pas de possibilités nouvelles; mais l'action du milieu n'en est pas moins très importante, car il agit *en favorisant* ou en *inhibant* selon les cas l'épanouissement des dispositions natives.

Il s'en déduit que *l'éducation n'est pas créatrice d'aptitudes ; son rôle est de favoriser le développement des aptitudes qui existent dès la naissance à l'état de virtualités, et elle manque à ce rôle quand elle paralyse au lieu d'épanouir.*

Nous venons de parler de virtualités. C'est qu'en effet les aptitudes natives ne sont pas décelables telles quelles à la naissance, et l'on comprend par là qu'on ait pu parfois en méconnaître l'existence. Elles sont pourtant inscrites dans la structure profonde, inconsciente, de chaque être, et ce qui se développera par la croissance, ce sont ces aptitudes-là et aucune autre. Ainsi, lorsqu'on plante en terre un gland de chêne, encore que si on le coupait on ne verrait dans son intérieur rien qui indique une structure particulière, une fois poussé c'est un chêne qu'il donnera et pas un autre arbre. Pareillement l'être humain, au cours de sa croissance, *devient ce qu'il est ;* mais il ne le devient bien entendu que dans la mesure où les conditions du milieu environnant le lui permettent.

Nous avons ici un second exemple de la nécessité des compromis. *Une attitude éducative souple, se modelant sur la réalité des faits, doit tenir compte de ce que dispositions natives et conditions du milieu sont toujours associées à chaque étape du développement d'un enfant.* De ce fait, on ne peut décrire séparément leur action, et dans ce qui va suivre, nous allons montrer comment la croissance s'opère à la fois par la force d'expansion vitale propre à chaque être et par l'action qu'exerce sur elle l'influence constante du milieu environnant pour la favoriser ou l'entraver, *influence qui, sur le plan des relations humaines, est précisément l'éducation.*

Notre conception des deux instincts fondamentaux de la vie, l'instinct d'expansion et l'instinct de conservation, rend compte aussi de la *structure corporelle* propre à chaque être dès sa naissance et au cours de son développement. Nous avons pu montrer en effet dans *nos études morphopsychologiques* qu'aux mouvements contraires de ces deux instincts correspond une opposition structurale. Les forces d'expansion développent l'organisme par une croissance rapide en taille et en masse, réalisant le *type morphologique Dilaté*. En sens inverse, les forces de conservation tendent à réduire la taille et la masse, réalisant le *type Rétracté*. La prédominance nécessaire de l'expansion chez le jeune enfant confère à celui-ci le type Dilaté, lequel est toujours à cet âge le signe d'un bon équilibre physiologique, alors qu'au contraire lorsqu'il se forme de bonne heure un type Rétracté, cela indique une souffrance générale de l'organisme ayant nécessité l'entrée en jeu trop précoce de l'instinct de conservation. Comme on le verra, l'intérêt de la morphologie est qu'elle fournit une méthode d'investigation permettant d'apprécier chez chaque individu quel est l'instinct de vie qui prédomine en lui. [1]

Comme nous l'avons souligné dans les pages précédentes, le rôle des deux instincts vitaux, l'instinct d'expansion et l'instinct de conservation, est primordial dans le développement de l'être humain, non pas seulement dans le développement physique, mais encore dans le développement psychique.

Or, dans le cours du premier âge, ces activités instinctives sont totalement inconscientes. D'où l'on est en droit de conclure que la conscience n'a aucune part dans ces premières étapes du développement, étapes dont toute l'évolution ultérieure dépendra, et que le rôle de l'inconscient est donc ici tout à fait primordial. Les découvertes de la psychanalyse nous ont révélé — ce dont certains se doutaient d'ailleurs déjà — que *la petite enfance est la source de toutes les possibilités ultérieures de l'homme fait*, et dans ce sens on est fondé à

[1]Cf. Nouveau Manuel de Morphologie. Stock 1968.

dire, par un paradoxe qui n'est qu'apparent, que « *l'enfant est le père de l'homme* ».

Nous allons dans cet ouvrage montrer *la part très importante de l'inconscient dans le développement physique et psychique de l'enfant, et nous soulignerons à chaque page ce qui s'en déduit pour l'éducation.*

Il est capital pour les éducateurs de savoir si ce développement se fait normalement, si par conséquent ils n'ont qu'à y assister en observateurs attentifs, se bornant à le favoriser, évitant de l'entraver par des interventions intempestives, et laissant les choses suivre leur cours sous la seule action des forces vitales naturelles — ou, si au contraire ce développement est anormal, s'accompagnant de désordres physiques ou psychiques susceptibles de l'arrêter ou d'en dévier le cours, et s'il est nécessaire par conséquent d'intervenir par une action en profondeur sur les processus inconscients, action pédagogique ou psychothérapique.

Dans le *Livre I*, nous traiterons du *développement normal*, non pas conçu comme un idéal-limite vers lequel on pourrait tendre sans jamais l'atteindre tout à fait, comme un idéal épargné de toute perturbation, de tout incident de parcours, mais conçu d'une manière beaucoup plus concrète, plus réaliste pour les éducateurs, comme englobant toutes les situations, fussent-elles troublées, qui ne mettent pas durablement en danger l'équilibre de la personnalité et son adaptation. C'est dire que nous décrirons ce développement, non comme une « ligne étroite » cheminant imperturbable entre des zones perturbées, mais comme une large « bande passante » chevauchant ici et là les dites zones.

Le *Livre II* sera consacré à l'étude du *développement anormal*, c'est-à-dire de celui qui s'accompagne de troubles persistants de l'adaptation, et met en danger l'équilibre de la personnalité. L'on y verra reprises quant à l'essentiel les descriptions du *Livre I*, mais l'accent y sera mis sur ce qui précisément oppose les situations pathologiques à celles qu'on peut considérer comme normales. On constatera qu'il n'est pas toujours facile de les délimiter les unes des autres, et notre dessein a été, non de permettre aux éducateurs de faire, comme l'on dit, un « diagnostic », car cela incombe au spécialiste, mais de *les sensibiliser à l'observation de l'enfant*, à la détection des motivations inconscientes des conduites, afin, d'une part, que leur action pédagogique soit éclairée par cette compréhension en profondeur, et, d'autre part, qu'ils s'aperçoivent à temps quand il se passe quelque chose de grave et puissent solliciter à point nommé l'aide médico-psychologique indispensable.

Le *Livre III : L'éducation et l'inconscient des éducateurs*, montrera, avec de nombreux exemples à l'appui que, comme l'ont souvent souligné les psychanalystes, *ce n'est pas avec notre conscient que nous éduquons les enfants, mais avec notre inconscient*. La plupart des erreurs éducatives ne sont donc pas dues à ce qu'on s'inspire de mauvaises règles directrices, mais à ce que l'inconscient des éducateurs intervient à leur insu pour fausser l'application de règles pourtant bonnes en soi.

L'apprentissage de l'éducation devrait donc commencer pour chacun de nous par la connaissance de notre propre inconscient. Les psychanalystes ont toujours en ce sens insisté sur la nécessité pour les éducateurs non seulement d'une *information psychanalytique*, mais encore d'une *formation*, formation qui, on le sait, passe par ce qu'on appelle une *analyse didactique*. Cela veut dire que l'éducateur, pour se former, devrait, tout comme un malade en traitement psychothérapique, suivre une psychanalyse, mais à des fins d'enseignement, sous la direction d'un spécialiste averti, ce qui lui permettrait de prendre conscience de son inconscient, et de connaître désormais la part que cet inconscient personnel peut jouer dans ses interventions pédagogiques.

Des psychanalystes ont soutenu l'opinion qu'il faudrait soumettre à une telle formation tous les parents et tous les éducateurs. C'est de toute évidence impossible. Il reste qu'une telle formation est très nécessaire pour ceux d'entre eux qui présentent des troubles névrotiques pouvant entraver sérieusement leur action éducative. Pour les autres, on ne saurait négliger ce que peut apporter une *information* qui les éclaire sur l'importance du problème de l'inconscient, et qui peut d'ailleurs contribuer pour une certaine part à une *auto-analyse* très profitable.

L'*amour des enfants*, quand il est ce qu'il doit être [1], ainsi qu'un grand désir d'*être sincère avec soi-même* sont en cette matière les deux éléments indispensables pour devenir peu à peu, à travers maintes erreurs peut-être, un bon éducateur.

[1] Cf. Livre III. Chap. I L'enfant objet et l'enfant sujet.

LIVRE I

LE DÉVELOPPEMENT NORMAL

L'INSTINCT D'EXPANSION
ET L'INSTINCT DE CONSERVATION

LEUR RÔLE DANS L'ADAPTATION

CHAPITRE I

L'EXPANSION VITALE DANS LA CROISSANCE

I. L'EXPANSION PASSIVE DU NOURRISSON

Le premier développement du bébé occupe en gros la première année. On l'appelle alors un *nourrisson*, ce qui marque bien que la fonction de nutrition est au tout premier plan.

Nous dirons aussi que c'est la période de la vie où l'expansion prévaut à peu près exclusivement, cela sous un mode essentiellement *passif*, l'organisme se laissant pénétrer par toutes les nourritures que lui apporte le milieu environnant, sans en refuser aucune, c'est-à-dire sans faire de choix. Cette assimilation passive de tout, prolongeant celle du développement prénatal, rend compte de l'accroissement considérable du poids et de la taille durant la première année, de même qu'elle rend compte de la quantité prodigieuse d'impressions que le cerveau enregistre et emmagasine.

L'expansion passive va avec la morphologie *dilatée atone*. Les formes du nourrisson sont rondes : une rondeur pour la tête, une rondeur pour le tronc, des membres courts et boudinés, des mains et des pieds potelés et courts. Les muscles sont peu développés encore, et l'embonpoint graisseux noie tous les contours; les chairs sont molles, tendres,

Fig. 1. Reproduite de l'ouvrage : « Le diagnostic de l'intelligence par la morphopsychologie ». (P.U.F.)

« de beurre », et ont de ce fait peu de résistance aux agressions du dehors [1].

[1] « Ses petites mains pleines de lait qui disent « Viens! » aux fleurs et aux oiseaux » écrit Jean Giono, et l'on ne saurait mieux dire.

Cette facilité à se laisser pénétrer par l'environnement, caractéristique de l'expansion passive, implique pour le bébé, on le comprendra sans peine, la nécessité absolue d'être placé dans un *milieu de protection*, un milieu d'où soit éliminée toute influence pouvant être nocive. Alors que les petits des animaux (des mammifères supérieurs les plus voisins de l'homme par exemple) sont très tôt capables de se passer de la protection parentale et de se suffire à eux-mêmes, tant pour se défendre contre les dangers que pour rechercher leur nourriture, par contre le petit de l'homme, il faut le souligner, naît dans un état particulier d'immaturité morpho-physiologique, incapable de se déplacer seul avant la fin de sa première année, et par là, il dépend au début de sa vie très étroitement de ses parents; privé de leur protection, il est en grand danger de périr.

Il n'a pas comme le petit de l'animal une sensibilité précocement éveillée, constamment aux aguets de ce qui se passe autour de lui. La dilatation atone signifie en effet *hyposensibilité* dans tous les domaines. Exposé au froid, exposé au chaud, le bébé se révèle incapable de percevoir le danger, incapable de l'effort automatique de régulation thermique qui le préserverait. S'il se trouve dans son biberon quelque substance toxique, il l'ingère à l'égal du bon lait. S'il s'introduit dans sa bouche quelqu'objet inhabituel, un bouton, un sou, une broche, bien loin de l'expulser, il l'avale, avec toutes les conséquences dangereuses que cela peut comporter.

On saisit par là les raisons pour lesquelles les nourrissons sont très exposés à mourir dans leur première année si l'on ne montre pas une vigilance de tous les instants. L'on sait, pour ne donner que cet exemple entre beaucoup, combien il faut prendre de précautions pour ne pas les brûler par un bain trop chaud, ou par une bouillotte, ou par des cataplasmes.

La vigilance des parents à cette époque de la vie doit s'exercer dans une double direction. D'une part on doit éliminer du milieu qui entoure le bébé tout ce qui peut être dangereux pour lui. D'autre part on doit faire que le milieu de protection soit *un milieu riche.*

Certes l'on sait bien que le nourrisson a besoin d'une nourriture abondante. Mais l'aliment n'est pas la seule nourriture nécessaire. Il faut aussi l'air respirable, on le sait, un air pur, assez riche en oxygène et convenablement humidifié. Il faut la lumière, qui nourrit l'œil, et les sons, qui nourrissent l'oreille. Il faut les contacts physiques et les caresses, qui nourrissent tout le corps. Il faut les mouvements, les bercements, qui nourrissent l'appareil locomoteur. Toutes ces stimulations sensorielles, remarquons-le, *sont des nourritures bien avant d'être des perceptions*, c'est-à-dire qu'elles agissent sur le corps sans que l'enfant ait conscience de leur action. C'est en effet la période de la vie où tout se passe dans l'inconscient. C'est inconsciemment que l'enfant assimile le milieu qui l'entoure; c'est pourquoi nous avons parlé, non de perceptions, mais de nourritures. Et c'est inconsciemment que l'enfant souffre si le milieu est nocif; il ne dispose pas en effet des moyens qui lui permettraient de manifester sa souffrance, comme il le fera plus tard quand il aura acquis une certaine conscience de soi et qu'il pourra s'exprimer par le langage.

Aussi, l'entourage doit-il à la place du nourrisson veiller aux besoins de celui-ci. A dire vrai, il y a des signes permettant de déceler si un enfant se développe comme il convient : une bonne expansion vitale se traduit par une prise de poids régulière, par un embonpoint de bon aloi, un épanouissement de tout l'être, un caractère animé et joyeux. Et l'on ne manquera pas d'être alerté si un nourrisson pleure constamment; si les parents sont vigilants, ils se demanderont alors ce qui ne va pas : a-t-il faim ? a-t-il froid ? manque-t-il de quelque chose ? Mais il advient aussi qu'un nourrisson manquant des nourritures nécessaires ne le manifeste point par des cris, mais seulement par une humeur apathique et triste ; lorsque, interrogeant une maman, on apprend qu'il en était ainsi de son bébé durant sa première année, sans qu'on y prît garde du fait que cela ne dérangeait personne, on peut conclure qu'il y avait une déficience importante dans les nourritures apportées à ce nourrisson.

Ces nourritures ne seraient pas, certes, sans la mère qui les dispense. Il faut donc y comprendre *l'amour maternel*, la présence de la mère, son contact avec le bébé, la protection de ses bras, ses caresses, ses sourires, la chanson de ses paroles, car l'expérience montre que leur défaut se révèle d'une nocivité toute particulière.

Assurément, certains nourrissons font montre de plus de vitalité que les autres, de par leurs dons héréditaires, leur richesse native en force vitale, et, de ce fait, ils pourront supporter mieux que d'autres une certaine déficience du milieu. Il n'empêche que nul enfant ne peut se développer normalement sans une richesse suffisante d'apports, de même qu'une plante, quelle que soit la bonne qualité de sa graine, ne peut s'épanouir que dans une terre fertile.

2. L'EXPANSION ACTIVE DU PETIT ENFANT

Au stade de l'expansion passive, la réceptivité domine, et les échanges avec le milieu environnant se font dans un seul sens, dans le sens de l'absorption des nourritures. Vers la fin de la première année (cela commence à vrai dire vers le 8e mois) apparaît l'*expansion active*, corrélative du développement de la motricité, et au fur et à mesure que la croissance se poursuit, la passivité-réceptivité va diminuer d'importance pour céder une part de sa place à l'activité. A dire vrai, cette activité s'exprimait déjà dès le début dans l'appareil prévalent, l'appareil digestif, sous la forme d'une capacité particulière de succion. Mais bientôt nous la voyons s'étendre, se manifester à l'appareil digestif par le pouvoir de mordre et de mastiquer (apparition des dents et développement des muscles masticateurs), ainsi que par le pouvoir d'expulser activement les excréments. D'autre part, elle se manifeste aux membres supérieurs par la capacité de se saisir des objets; aux membres inférieurs par l'aptitude à se déplacer et à explorer l'espace autour de soi. Aux organes sensoriels, elle se marque par la capacité d'appréhender d'une manière active les impressions : non plus seulement voir, mais regarder; non plus seulement entendre, mais écouter. Sous l'influence de cette expansion active, le petit enfant ne se borne plus à laisser l'environnement le pénétrer; il va vers lui et s'en empare, élargissant ainsi son espace vital et quittant les bras protecteurs de sa maman pour explorer le monde plus vaste de la nursery, puis celui de la maison, du jardin, de la rue.

Il convient de mentionner un des traits les plus importants de la motricité à cette époque de la vie, trait qui donne la signature même de l'expansion active. Au début prédominaient chez le nourrisson les mouvements et les attitudes en flexion; ainsi on a parfois de la peine à étendre les jambes d'un bébé pour le langer, tant il les replie avec force; de même, lorsqu'il prend un objet dans sa main, il ne le lâche plus, l'ouverture de la main lui étant beaucoup plus difficile que la fermeture; de même encore, le bébé est incapable de cracher ou de vomir ce qui encombre ses viscères (par exemple s'il a ingéré quelque chose de nocif), à ce point qu'on sait en Médecine que le vomissement ou le crachat chez un bébé est un signe pathologique annonçant une maladie (par exemple le vomissement comme signe d'une maladie fébrile débutante, le crachat comme signe de coqueluche). Voici encore, exemple pittoresque, le cas d'un petit garçon de 2 ans, qui, pour répondre à son père, lequel lui envoie un baiser avec la main, veut faire pareil; mais comme le mouvement de flexion du bras lui est plus naturel que le mouvement d'extension, au lieu d'envoyer des baisers, il se frappe sur la bouche avec la main.

L'expansion active inaugure la possibilité d'étendre les membres, les muscles extenseurs faisant peu à peu contrepoids aux muscles fléchisseurs (ce qui entre parenthèses va permettre la marche); mais l'exemple qui vient d'être donné de ce petit garçon nous montre que cette conquête de l'extension ne se réalise que progressivement, et qu'il y aura encore pendant de longs mois une certaine tendance à la flexion.

Il importe de souligner ici qu'à ses débuts, cette activité n'est pas disciplinée; elle est impulsive, obéissant à la fois aux impulsions capricieuses du dedans et à toutes les sollicitations du dehors, incapable de résister ni aux unes ni aux autres. A ce stade, l'enfant sème le désordre partout où il passe : il est violent et destructeur. Il est maladroit et brise souvent les objets qu'il prend en mains. Il manifeste fréquemment ses sentiments pour les personnes qu'il aime en les mordant et les frappant tout autant que par des caresses.

Cette période de la vie de l'enfant met, bien entendu, à rude épreuve la patience des parents, lesquels seraient portés à réagir à la violence de l'enfant par une violence contraire, le frapper s'il frappe, le mordre s'il mord. Mais une telle conduite éducative trahit une profonde incompréhension de la nature de l'expansion vitale : *toutes ces actions impulsives et désordonnées se disciplineront peu à peu d'elles-mêmes si l'on fait montre à leur égard d'une large tolérance, se bornant à en limiter les effets trop fâcheux.*

Il est en particulier fréquent que les éducateurs confondent expansion vitale et agressivité dirigée contre. Il faut savoir que quand un jeune enfant cogne, démolit, mord ou bouscule, c'est par un effet de sa surabondance vitale; ce n'est pas de l'hostilité contre quelqu'un. Mais si l'on vient à lui barrer la route en empêchant son expansion, celle-ci alors devient agressivité et se dirige contre l'éducateur frustrant.

Soulignons encore que ce stade d'expansion active correspond à ce que les psychanalystes appellent le *stade sadique-anal.* Cette dénomination met très justement l'accent sur deux points. L'un est que, par l'expansion active, l'enfant accède à la possibilité de se servir de ses muscles selon son bon plaisir; en particulier les sphincters qui ferment les orifices de la vessie et de l'intestin et qui jusque-là laissaient les excréments s'écouler passivement au-dehors, deviennent actifs, ce qui permet l'expulsion volontaire, c'est-à-dire que l'enfant peut désormais, suivant son caprice, faire ses besoins quand il le désire et là où il le désire. C'est aussi l'âge où l'enfant est sale, où il mange salement, où il souille constamment ses vêtements faute de prendre la moindre précaution pour l'éviter. Cette conduite comporte des conséquences éducatives très importantes, car, de même que nous avons vu un peu plus haut l'expansion active se muer en agressivité quand elle est contrariée, de même « se salir » peut devenir pour l'enfant de cet âge un moyen de manifester son opposition aux parents.

L'autre dénomination, « sadique », souligne l'élément agressif particulièrement intense de ce stade. A dire vrai, ce mot appartient au langage des adultes, puisqu'il signifie une cruauté particulière en rapport avec la sexualité, le sadique étant un sujet qui ne peut éprouver de jouissance sexuelle qu'en faisant souffrir son partenaire. L'intérêt est ici pour les psychanalystes d'avoir montré que cette « perversion » sexuelle de l'adulte est très souvent le résultat d'une fixation inconsciente de la personnalité à l'âge sadique-anal, fixation qui fait éprouver l'attrait amoureux avec une forte note de cruauté.

Morphologiquement, l'expansion active se traduit par le *type Dilaté sthénique.* La dilatation de la première période, corrélative de la dominante expansive, persiste donc, mais l'atonie de la réceptivité fait place à la sthénie de l'activité. C'est-à-dire que les chairs sont moins flasques, de par le développement de la musculature, et qu'au visage, d'une part les contours sont d'un modelé plus ferme, et d'autre part les récepteurs sensoriels ont un caractère plus sthénique (cf. fig. 2).

Fig. 2. Expansion active

a) *L'aventure et le besoin de sécurité*

En se soustrayant à la protection maternelle, l'enfant s'expose dangereusement aux éléments nocifs du milieu environnant. Dans son ignorance de ses limites, il se croit en effet un pouvoir illimité. Il ne tarde pas toutefois à faire l'expérience que cette liberté lui réserve bien des mécomptes. Car le milieu *non protégé* où il s'aventure contient bien entendu de tout, du bon et du mauvais. Le petit enfant s'y heurte à maints obstacles : il se brûle en voulant toucher le feu ou boire son chocolat trop chaud; il se fait griffer par le chat dont il a tiré les moustaches; il bute contre une pierre et tombe; il se coupe avec un couteau; il se fait battre par un autre enfant à qui il a voulu prendre son jouet. Heurts, arrêts brusques de l'expansion vitale, souffrance pouvant aller jusqu'à l'angoisse, car cet âge est celui de la démesure, et la plus minime déconvenue donne souvent au tout-petit le sentiment très pénible que tout est perdu. L'enfant cherche alors d'instinct à rompre le contact avec ce milieu soudainement hostile et à faire retraite vers le milieu de protection initial : « Maman! maman! je me suis fait mal! ». Un peu plus tard consolé, réconforté, il va repartir en avant avec des forces nouvelles. Ainsi son espace vital s'élargit peu à peu, non par un progrès absolument continu, mais par un mouvement de va-et-vient : deux pas en avant, un pas en arrière, le mouvement de progression cédant à chaque écueil la place à un mouvement contraire de régression.

Notre figure des cercles (fig. 3) illustre bien ce double mouvement. Chacun des cercles représenté symbolise une étape de la croissance et l'espace vital correspondant, qui bien entendu s'élargit au fur et à mesure que l'enfant grandit. Une métaphore fera bien saisir les forces qui sont à l'œuvre ici. Supposons un ballon de baudruche qu'on gonfle et qui occupe peu à peu un espace de plus en plus large. La force qui gonfle le ballon, c'est la force d'expansion vitale. Il arrive que cette force s'épuise, ainsi par la fatigue, ou bien

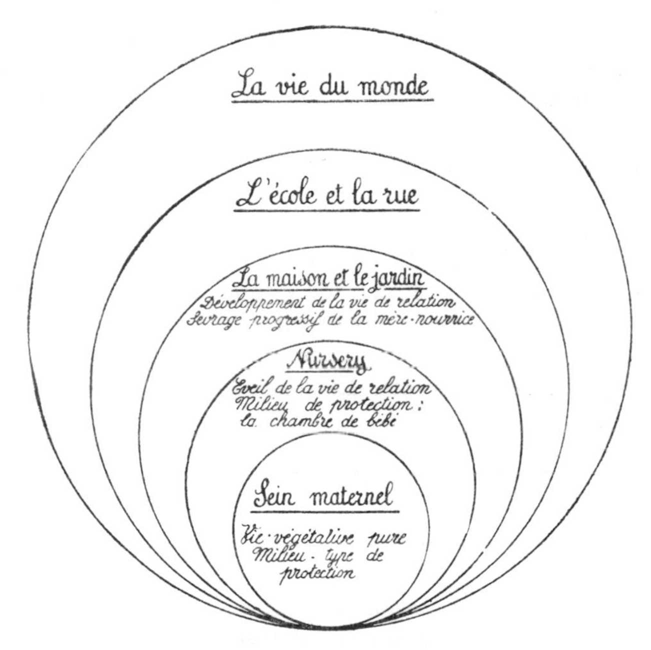

Fig. 3. Les cercles d'expansion

qu'elle se heurte à un obstacle qu'elle ne peut franchir; alors le ballon se dégonfle et repasse successivement par toutes ses positions antérieures, en vertu de son élasticité propre, qui représente ici la force de conservation. De la même manière, quand le milieu fait échec au mouvement d'expansion, ou que la force expansive vienne à faiblir d'elle-même (comme dans la fatigue), il se produit un mouvement inverse de régression, qui replace le sujet dans un des milieux protégés de ses premières années [1].

On a vu un peu plus haut que l'expansion active corrige peu à peu la prédominance des gestes et des attitudes en flexion du nouveau-né pour établir un nouvel équilibre où les muscles fléchisseurs et les muscles extenseurs se font contrepoids. La régression fait bien entendu revivre la prédominance initiale des fléchisseurs : l'enfant en régression se replie sur lui-même, se recroqueville, et on le voit au mieux dans cette régression majeure qui se reproduit tous les soirs par le sommeil, où l'attitude normale, celle qui préserve le mieux, est l'attitude en flexion, « en chien de fusil », reproduisant à peu de chose près la position du fœtus dans les entrailles maternelles.

Nous touchons ici à un domaine d'une importance capitale en psychologie enfantine. L'expansion active, c'est l'aventure, c'est la découverte de mondes nouveaux, inconnus, c'est la hardiesse et le risque, et c'est aussi l'angoisse du danger toujours imminent, angoisse qui, comme on le verra, est à quelque degré nécessaire puisqu'elle est le corrélatif

[1] Ce double mouvement de la force vitale est bien exprimé dans la comptine allemande de *Hänschen klein :*

> Petit Jean s'en allait seul
> Dans le vaste monde.
> Le bâton et le chapeau
> Lui vont bien.
> Il est tout à fait heureux,
> Mais Maman pleure tant
> De n'avoir plus son petit Jean;
> Alors l'enfant y pense
> Et revient vite à la maison.

On notera le symbolisme transparent du bâton et du chapeau, attributs virils qui expriment ici le désir d'identification au père et le besoin d'aventure, aussitôt corrigé par le désir régressif du retour vers la mère.

obligé de toute marche en avant. Par contre la régression, c'est le renoncement au progrès, la recherche du *statu quo*, du connu qui rassure, et, pour le dire en un mot, la sécurité du milieu de protection, qui supprime l'angoisse des aventures conflictuelles. *On ne saurait trop insister sur le rôle capital que joue chez la plupart des enfants* (des adultes aussi d'ailleurs) *le besoin de sécurité.* Il est des périodes de la vie enfantine où ce besoin se fait sentir avec une force particulière, et l'on voit alors l'enfant se comporter d'une manière insolite, peu en rapport avec son âge. La régression fait en effet revivre en lui des comportements de bébé, et les éducateurs sont au premier abord portés à lui en faire reproche ou à ironiser. Il est d'une bien meilleure attitude éducative de rechercher ce qui a pu déterminer cette régression. Nous en reparlerons d'ailleurs plus loin en traitant des mécanismes de défense du Moi.

En conclusion, on se trouvera bien de suivre *cette règle éducative : que chaque fois que se manifestent des signes indiquant un besoin anormalement intense de sécurité, on peut en conclure qu'il y a dans l'inconscient de l'enfant une angoisse d'insécurité tout particulièrement vive.*

b) *Le conflit dépendance-indépendance*

En situation d'expansion passive, on l'a vu, le bébé est dans la très intime dépendance de son milieu familial. Même, il n'a aucunement le sentiment de constituer une individualité autonome. Il est littéralement confondu avec sa mère dans un état de *fusion édénique* qui prolonge l'état particulièrement gratifiant des entrailles maternelles avant la naissance. L'expansion active inaugure l'indépendance de l'enfant, et, capable désormais d'agir de lui-même, celui-ci accède à un début d'autonomie; il commence à acquérir la notion globale de son corps comme d'un tout bien individualisé, se distinguant alors de plus en plus nettement du corps de sa mère.

Mais cette conquête de l'expansion active est à l'origine de deux ordres de conflits.

Conflits intérieurs, en ce que l'enfant hésite souvent entre son désir nouveau d'indépendance et son désir de prolonger plus longtemps la dépendance protégée de ses premiers mois.

Conflits extérieurs, en ce que les parents, la mère surtout, a quelque peine à accepter l'autonomie naissante du bébé et les expériences souvent maladroites par lesquelles cette autonomie s'affirme. Pour la mère, l'enfant grandissant est toujours « son bébé », et elle se croit en devoir de maintenir autour de lui le milieu de protection du début.

Le secret d'une bonne éducation est pour les parents de se montrer assez souples pour suivre l'enfant dans son mouvement de croissance et pour, à chaque étape, doser comme il convient la juste proportion de protection (dont l'enfant a encore besoin) *et de liberté* (dont l'enfant a besoin pour conquérir son autonomie). Rien ne peut mieux exprimer l'exigence à laquelle doivent satisfaire les éducateurs que cette phrase entendue de la bouche d'un enfant : « *Aide-moi à faire ça tout seul* ».

3. L'EXPANSION CONTRÔLÉE PAR LES FORCES DE CONSERVATION ET LA FORMATION DU MOI

L'on vient de voir que l'expansion sans frein du jeune enfant fait place, quand elle se heurte à quelque milieu hostile, au mouvement inverse de conservation, avec régression. Ce double mouvement vital obéit au début à la règle du « tout ou rien » : à l'action empêchée succède sans transition une attitude de refus boudeur, ou le refuge dans les bras maternels, ou même le refuge dans le sommeil.

Mais petit à petit, avec le progrès de la croissance, il s'opère une meilleure adaptation, en ce sens que les deux instincts de vie, au lieu d'alterner purement et simplement leurs mouvements, se composent et se tempèrent l'un l'autre. Par exemple un enfant qui s'est brûlé en voulant boire son chocolat trop chaud, a tendance au début à refuser désormais le chocolat; « chat échaudé craint l'eau froide » dit le proverbe. Mais par la suite, il apprendra qu'il faut tout simplement attendre un peu, jusqu'à ce que le chocolat ne soit plus trop chaud pour être bu.

Nous voyons ici se manifester une fonction nouvelle : *la sensibilité, fonction de vigilance au service de l'instinct de conservation.* Lorsque l'enfant se laisse aller à son expansion sans mesure, obéit à son seul caprice, il ne peut manquer, on l'a vu, de se heurter douloureusement aux éléments nocifs du milieu. Mais la douleur lui enseigne à retenir ses impulsions, à attendre quelque peu, à se tenir à distance des objets désirés. Suivant l'expression de *Freud*, elle le fait *passer du principe de plaisir au principe de réalité*, en tenant compte des limitations que le milieu extérieur impose à la satisfaction de ses désirs. En fait, ce principe de réalité est *un principe de plaisir différé*, en ce sens que d'y obéir revient à se donner le maximum de plaisir qui soit compatible avec une situation extérieure donnée; l'enfant, s'il sait patienter, aura son bol de chocolat, et il l'aura sans se brûler.

On voit ici avec netteté le rôle de l'instinct de conservation dans la préservation de la vie. On comprend aussi dans la même perspective l'opposition établie par *Freud* entre ces deux instances de la personnalité qu'on appelle le *Soi* et le *Moi*. Le Soi, c'est le monde des pulsions et des désirs qui, de par leur force vive même, veulent être satisfaits tout de suite et complètement *(principe de plaisir)*. Le Moi, c'est cette instance qui, par l'examen du milieu environnant, décide dans quelle mesure celui-ci est favorable ou défavorable à la réalisation des désirs du Soi *(principe de réalité)*. Le Moi est l'intermédiaire constant entre le milieu extérieur et le Soi, et il doit sans cesse s'efforcer de concilier les exigences des deux; c'est-à-dire qu'il doit défendre le sujet, tantôt contre les dangers émanant du milieu, tantôt contre les dangers des pulsions issues du Soi.

La sensibilité de vigilance au service de l'instinct de conservation, dont on a vu plus haut le rôle, est donc une fonction essentielle du Moi, et c'est par elle que se constituent ce que les psychanalystes appellent les *mécanismes de défense du Moi*, dont l'étude est actuellement, étant donné leur importance, un des premiers chapitres de la psychologie.

On a vu que cette sensibilité est en même temps une prise de conscience des dangers possibles, de sorte que le Moi peut être considéré comme une fonction consciente. Et cependant, par suite du conditionnement qui se produit à chaque expérience, la défense du Moi, de consciente qu'elle était au début, devient peu à peu inconsciente et opère alors automatiquement, à l'insu du sujet lui-même. L'enfant qui par exemple s'est une fois brûlé et qui s'écarte intentionnellement du feu, peu à peu s'automatisera et n'aura plus besoin pour se soustraire au danger de le vouloir consciemment.

C'est entre deux et trois ans que les éducateurs peuvent constater les premiers effets de ce changement dans la conduite d'un enfant et *qu'ils peuvent dans leur action éducative faire appel à cette sensibilité et à cette prise de conscience.*

Pour nous résumer, disons que *le stade d'expansion active fait place de bonne heure au stade de l'expansion contrôlée par les forces de conservation*, c'est-à-dire du Soi contrôlé par le Moi.

Soulignons que ce contrôle est à l'origine de fonctions psychologiques très importantes, qu'en particulier il est dans l'ordre du caractère à l'origine de la *maîtrise de soi*, dans l'ordre de l'intelligence à l'origine de la *réflexion consciente*.

La structure corporelle objective, ici encore, la transformation qui s'accomplit. L'intervention des forces de conservation se traduit en effet par une *rétraction des formes* qui, se composant avec la dilatation première des stades expansifs, aboutit à une morphologie plus différenciée, où alternent zones dilatées et zones rétractées. Au visage, cela se marque par un affermissement des traits, un léger allongement et un redressement du profil, que nous avons appelé dans nos exposés morphopsychologiques la *rétraction de front* (fig.4)

Fig. 4. Rétracté de front

4. LE TOI ET LE MOI. LEUR RÉGULATION RÉCIPROQUE

Au début de la vie, on l'a vu, le Moi n'existe pas. Le nourrisson n'a aucunement conscience *d'être en tant qu'individu*, en tant que corps autonome. Il se confond avec le monde environnant et il croit que tout est à lui, donc que son pouvoir est illimité. En particulier, on a vu que le sein maternel n'est pas pour lui attaché à un objet distinct, la mère en tant que personne individuelle, mais qu'il l'éprouve comme une partie de lui-même. La réalité extérieure n'existe donc pas pour le nourrisson comme une réalité indépendante, et il ne lui est pas possible à ce stade d'en avoir une connaissance objective.

Cette tendance à la confusion de l'être et du monde qui l'entoure explique en particulier la grande facilité des mécanismes de *projection* et d'*introjection*, si caractéristiques du premier âge. Notamment le petit enfant a tendance à projeter hors de lui, dans le monde extérieur, tout ce qu'il ressent comme mauvais en lui-même, par exemple son agressivité et sa culpabilité (le « ce n'est pas moi qui ai fait cela »). En sens inverse, il va introjecter tout ce qui dans le milieu extérieur lui paraît bon. D'où cette propension bien connue à se diviser en deux êtres, l'un bon, l'autre mauvais, propension que les éducateurs n'ont en général que trop tendance à favoriser. Ainsi un petit garçon observé par nous avait été éduqué par sa mère et sa grand-mère, deux femmes qui cachaient sans nul doute, sous un pharisaïsme de bon aloi, un sadisme refoulé. Si le petit garçon faisait quelque chose qui déplaisait à ses éducatrices, il s'entendait dire aussitôt : « Ah! ah! ah! j'en connais un qui va être bien content que le petit garçon soit si méchant! ». Ledit petit garçon savait, pour l'avoir souvent entendu, que ce quelqu'un, c'était le diable. Son Moi était véritablement écrasé entre deux forces contraires : un Surmoi sadique d'origine maternelle, et des pulsions instinctives qui ne pouvaient jamais se satisfaire sans une forte culpabilité. Enurétique et encoprésique en dépit de ses 7 ans, il disait à la psychologue : « Le petit Jésus aussi il faisait caca dans ses culottes » pour tout aussitôt se rattraper anxieusement : « Oh! non, c'est pas vrai; le petit Jésus n'a jamais fait caca dans ses culottes! ». Il confiait un jour à la même psychologue : « Tu sais : j'ai des pensées épouvantables; je rêve que je pousse mon père du haut d'un rocher; quand j'ai des pensées comme ça, je ne suis pas l'ami du Bon Dieu, je suis l'ami du Diable! ».

On verra plus loin que c'est par les frustrations que l'enfant mûrit, que Moi et Non-Moi se scindent, se constituant l'un et l'autre par leur action réciproque. Mais cette séparation n'est pas une rupture; à la fusion fait suite la *relation*, qui se nourrit d'échanges continuels, comme on l'a vu. Particulièrement, la relation avec la mère est indispensable en tant que dispensatrice de toutes les nourritures dont l'enfant a besoin. On a vu le rôle très important de ce maternage [1] dans la croissance de l'enfant, ce que l'on savait assurément depuis longtemps. Mais plus récente est la connaissance du rôle joué par la relation avec la mère dans la formation du Moi. La psychologie traditionnelle, marquée par une forte tendance individualiste et égocentrique, considérait le Moi comme le noyau inné de la personnalité, le support de toutes les aptitudes mentales natives, censées se développer par le seul progrès en avant de la maturation. Nous savons aujourd'hui que ce point de vue a le grave tort

[1] Ce néologisme est du Docteur Racamier. Il traduit très heureusement le mot anglais « mothering ».

de négliger les relations du Toi et du Moi; nous avons appris qu'ils sont inséparables, et que le Moi de l'enfant ne peut se constituer que par des échanges continuels avec le Toi parental. Si ces échanges manquent, la maturation du Moi ne s'accomplit pas.

Ainsi la force affective du Moi, sa capacité d'aimer exige que l'enfant ait été aimé par les siens. Il faut qu'on ait été avec lui à la fois bon et ferme, pour qu'il puisse s'en nourrir et devenir à son tour bon et ferme. Il faut qu'on lui ait marqué de l'estime pour qu'il puisse s'estimer lui-même.

Soulignons à ce propos la grande importance du *regard* dans les relations du Moi et du Toi. On sait avec quelle joie l'enfant, quand il a fait quelque chose d'intéressant, appelle : « Maman, regarde! », et combien alors le regard affectueux de sa mère peut accroître son sentiment de confiance en soi.

En bref, pour un enfant, être aimé, et en conséquence s'aimer soi-même, c'est se constituer.

A cela, il faut ajouter que le sentiment de la réalité du monde ne peut lui-même être acquis par l'enfant qu'à travers ses parents, en tant que ceux-ci sont des représentants authentiques de cette réalité. Notamment la mère, dès le début de la vie, en se donnant à son enfant, non seulement lui donne la vie, mais encore lui donne le monde.

5. LE RÔLE DU LANGAGE

Le passage de la fusion à la relation établit entre l'être humain et son environnement une distance suffisante pour permettre de ne plus réagir immédiatement aux excitants, pour introduire par conséquent entre l'excitation et la réponse un temps d'arrêt, élément essentiel de réflexion et de maîtrise qui conduit à une meilleure adaptation (ce que nous avons appelé *le principe de plaisir différé*).

Cette même prise de distance est nécessaire à la naissance du langage, dans lequel les êtres et les choses sont symbolisés par des mots. Le mot, représentation atténuée du réel concret, permet de se rendre maître de l'objet qu'on nomme, et l'on peut alors remplacer les relations directes, fortement chargées d'affectivité et suscitant des réactions immédiates, par des relations indirectes, gouvernées par la logique, en grande partie neutralisées affectivement, par lesquelles sont rendues possibles des réponses élaborées de sang-froid.

Relativement au monde extérieur, les mots et leurs relations permettent d'anticiper les événements, donc de les maîtriser.

Relativement au monde intérieur des pulsions, le langage atténue la force pulsionnelle des sentiments et, par là, facilite leur sublimation. On verra par exemple que l'agressivité sauvage est souvent remplacée par la discussion ou la critique verbale, ce qui constitue en partie une sublimation.

D'autre part, fait essentiel, le langage permet la communication avec autrui. Dans les relations entre parents et enfants, *il substitue l'éducation au pur dressage*. C'est par lui que se font l'échange et le dialogue. On sait le rôle très important des deux mots les plus courts, mais aussi les plus chargés de sens : le *oui* et le *non*. Ils sont l'indicatif de ce qui est permis et de ce qui est défendu par les parents. Suivant que l'éducation donnée est libérale, permettant à l'enfant de s'épanouir au maximum, de réaliser tous les rôles qu'il a en lui, ou qu'au contraire elle est interdictrice et censure toutes les manifestations spontanées, c'est le oui ou c'est le non qui est le plus souvent prononcé. Par voie de réciprocité, c'est le oui ou c'est le non que l'enfant dira le plus volontiers. On sait par exemple qu'un enfant éduqué trop sévèrement à la propreté sphinctérienne et qui n'a pu par conséquent satisfaire ses besoins excrémentiels, peut réagir à l'interdiction parentale en s'opposant dès lors par un non systématique à tout ce qu'on veut lui faire faire.

Il convient en outre d'opposer ici la *pensée primaire*, celle du début de la vie, qui est concrète, toute en sensations et en images, très chargée d'affectivité, inséparable des actions auxquelles elle entraîne, — et la *pensée secondaire*, liée au langage, où les idées remplacent les sensations et les images, où la logique des relations prime l'affectivité, et qui est nettement séparée de l'action. En particulier, la croyance inhérente à la pensée primaire que les idées sont toutes-puissantes et se réalisent d'elles-mêmes, est dans la pensée secondaire remplacée par la notion d'un monde d'idées à part, représentatif d'actions possibles, mais non encore réalisées.

Lorsqu'il se produit une régression, le Moi retourne au stade primaire, et l'on voit revivre la pensée toute en images ; les rapports logiques se défont, les relations étant alors à base d'affectivité, et l'idée à peine surgie se réalise en acte, comme cela se produit dans les rêves. Ici, le symbole se confond avec la chose qu'il symbolise ; si par exemple l'interprétation d'un rêve nous amène à concevoir un pont sur une rivière comme symbolisant un passage, un franchissement, le pont coupé en son milieu symbolisant alors l'échec, dans le rêve lui-même le symbole « pont » est lui-même le passage, sans que la logique de la comparaison s'interpose.

Nous aurons à ce propos à montrer que la régression, qui fait revivre les états psychiques de l'enfance, ne doit pas être considérée seulement dans son aspect négatif de renoncement à progresser. Elle a aussi un aspect positif, tout particulièrement dans la mesure où elle peut rendre à la pensée logique cette richesse d'images qui caractérisait la pensée primaire.

On reconnaît là notamment un des éléments essentiels de la poésie, car pour le poète aussi le symbole est identique à la chose symbolisée; par exemple, là où pour exprimer la plénitude de notre joie, nous pourrions employer la métaphore : « Mon âme est *semblable à* un après-midi d'été », le poète dira : « Mon âme *est* un après-midi d'été ».

C'est encore une fois ici le lieu de marquer que *les forces pulsionnelles de l'inconscient sont la richesse même de la personnalité enfantine*, et que le processus par lequel ces forces se socialisent, processus qui comprend en particulier le passage de la pensée en images à la pensée logique, ne doit pas être poussé trop loin, comme on le fait trop souvent par une éducation rigide où la raison a la primauté exclusive, aux dépens de toutes les valeurs affectives.

CHAPITRE II

LE MOI. SES MÉCANISMES D'ADAPTATION ET DE DÉFENSE

I. L'ANGOISSE. SA FONCTION À L'ÉTAT NORMAL

Avant d'étudier les stades évolutifs de la croissance qui suivent le stade d'expansion contrôlée, nous allons exposer le rôle que jouent dans la maturation psychologique l'*angoisse*, les *frustrations* et les *mécanismes de défense du Moi* (qui sont en même temps des *mécanismes d'adaptation*), car ce rôle est déjà sensible dans les premiers stades que nous avons étudiés.

Le Moi, on l'a vu, joue un rôle essentiel dans la défense de l'organisme contre les dangers qui le menacent. Ce rôle s'accomplit par la sensibilité de vigilance au service de l'instinct de conservation. Chaque fois que le péril est grave, cette sensibilité de vigilance s'intensifie jusqu'à l'*angoisse*. Cette angoisse, ressentie par le Moi, est pour lui un signal d'alarme qui l'avertit et lui fait prendre à temps les mesures défensives qui s'imposent. Nous connaissons bien l'angoisse qui naît devant un danger extérieur, devant une menace pour notre vie. Mais il faut savoir que l'angoisse peut s'éveiller aussi devant un danger intérieur, quand les pulsions, de par leur intensité même, risqueraient de mettre le sujet dans une situation pouvant lui faire perdre son équilibre. Les mécanismes de défense du Moi, que nous étudierons en détail, ont donc pour fin d'écarter le danger, soit extérieur, soit intérieur, ce qui fait *ipso facto* taire la cloche d'alarme de l'angoisse.

On ne saurait considérer l'angoisse comme un phénomène pathologique. Elle appartient à la condition normale de l'être humain, et nul ne peut y échapper entièrement.

A dire vrai, elle est absente au début de la vie : le nourrisson ne connaît pas le danger, ni la peur, ni par conséquent l'angoisse. Quand par exemple il est séparé de sa mère, cette séparation ne provoque pas en lui d'angoisse, mais seulement un manque, et, si cela dure, un état d'apathie qui traduit un fléchissement de la vitalité.

L'angoisse apparaît avec l'expansion active et le début de l'autonomie, en pratique vers le 8e mois. C'est à cet âge par exemple que la vue d'un visage étranger suscite chez le bébé de la peur, et que la séparation quelque peu prolongée d'avec la mère détermine des réactions anxieuses marquées.

L'angoisse est très fréquente dans les premières années. En ce qui concerne les dangers extérieurs, la peur, on l'a vu, est contemporaine des premières expériences d'expansion active, et on ne saurait la considérer comme anormale, puisqu'elle vise à préserver le sujet des périls qui l'entourent.

En ce qui concerne le danger intérieur des pulsions, la peur se présente d'ordinaire comme une crainte du choc en retour du milieu extérieur, comme une *crainte du talion.* Ce milieu extérieur étant principalement pour l'enfant le milieu familial, le talion, c'est alors celui des tout-puissants parents susceptibles de châtier sévèrement les fautes de l'enfant. L'on peut dire que le talion redouté est d'autant plus grave que la pulsion interdite est plus forte. Ainsi l'agressivité, lorsqu'elle va jusqu'au désir d'éliminer, de détruire le rival, engendre par talion la crainte d'être soi-même détruit.

L'angoisse se manifeste surtout la nuit, sous la forme de cauchemars, dont la violence chez l'enfant fait parler de *terreurs nocturnes*; il s'agit, on le sait, d'accès de frayeur qui réveillent soudain l'enfant et le fait appeler au secours. Nous avons jusqu'ici employé indifféremment les mots peur et angoisse. Au vrai, la peur s'éprouve en présence d'un danger reconnu, auquel on peut d'ordinaire faire face. L'angoisse est plutôt la crainte d'un danger qu'on ne peut reconnaître et qui est d'autant plus pénible qu'on ne sait comment y parer. Les angoisses nocturnes de l'enfant sont de ce type : les visions de cauchemar qui le terrifient sont imprécises, difficiles à raconter, et à son réveil l'enfant n'en garde aucun souvenir; il ne peut donc découvrir la cause de sa terreur, et c'est parce que cette cause est inconsciente.

Précisément, cette angoisse est la crainte que les pulsions interdites viennent à s'assouvir, c'est-à-dire à rompre le barrage que la censure du Moi leur oppose. Or on sait que le Moi est particulièrement vigilant à l'état de veille, tandis qu'au moment du sommeil sa vigilance se relâche beaucoup, laissant alors les contenus de l'inconscient s'extérioriser. Ainsi s'explique-t-on que la nuit soit le moment privilégié pour l'angoisse, et non seulement la nuit, mais aussi le soir, au moment où l'enfant va s'endormir. Les éducateurs ne sauraient être trop attentifs à noter cette angoisse du coucher, souvent camouflée d'ailleurs, soit en peurs externes (peur des voleurs, peur du noir, peur des bêtes), soit en revendication de présence protectrice *(« reste encore avec moi maman! »)*, soit sous des rituels de protection. A titre d'exemple de ces rituels, citons le cas d'une fillette de 9 ans qui ne pouvait s'endormir si elle n'avait pas plié ses vêtements avec beaucoup de soin pour les disposer en ordre sur une chaise, et qui révélait au cours d'une psychothérapie que, si d'aventure elle laissait ses vêtements en désordre et qu'un rayon de lune vint à les éclairer pendant la nuit, elle voyait surgir des tas de formes fantastiques qui l'effrayaient grandement. Il ne fut pas difficile d'établir que cette fillette projetait au-dehors son propre désordre intérieur et n'était rassurée que si tout était remis en ordre.

Ces craintes anxieuses de l'enfant au moment du sommeil se répètent souvent d'une manière incessante qui risque de lasser la patience des éducateurs, du fait que ceux-ci croient à un simple caprice de l'enfant. Une compréhension en profondeur les conduira à une attitude éducative plus juste et plus efficace, et il leur apparaîtra alors que *le meilleur remède est ici la présence affectueuse d'une grande personne* qui sait par ses paroles se faire rassurante, ce qui suffit dans la plupart des cas à apaiser l'angoisse et à faire descendre doucement l'enfant dans le sommeil. Un exemple : une fillette de 5 ans exprime le désir d'ajouter à la prière du soir qu'elle faisait avec sa maman : « Je voudrais aussi demander à Jésus d'être plus gentille », sans nul doute dans le désir d'apaiser son angoisse de culpabilité, et de prévenir des mauvais rêves où son agressivité se serait donné libre cours.

2. LES FRUSTRATIONS NÉCESSAIRES. LEUR RÔLE MATURANT

De par son enfance protégée, le tout-petit vit dans un monde enchanté où ses désirs sont à peine ressentis qu'ils sont aussitôt satisfaits. D'où le sentiment qui prévaut à cet âge de la *toute-puissance magique* des désirs et plus tard des pensées, sentiment qu'on trouve exprimé aussi avec beaucoup de force dans les contes de fée, expliquant le ravissement avec lequel les enfants se complaisent aux récits qu'on leur en donne. Mais ce monde enchanté — le monde du désir — ne peut être maintenu, car il n'est pas conforme à la réalité qui nous entoure. On l'a vu, pour acquérir la maturité, l'enfant doit passer du règne du principe de plaisir à celui du principe de réalité. C'est dire qu'une part de ses désirs devra être *frustrée*.

On a voulu parfois considérer les frustrations de l'enfance comme dangereuses et les rendre responsables de maints états névrotiques. D'où l'on était conduit à recommander une méthode éducative d'entière gratification, en évitant toute frustration, c'est-à-dire, selon l'expression courante, à *gâter les enfants ;* « Je n'ose contrarier mon fils, disait une dame, j'ai peur de lui donner des complexes ».

Mais il faut distinguer avec soin *frustrations normales* et *frustrations pathologiques*. Les frustrations normales sont celles qui, dans le cours du développement, sont inévitables, et dont l'intensité ne dépasse pas ce qui peut être supporté par l'enfant. Par contre les frustrations pathologiques — dont nous traiterons plus loin — sont celles qui, par leur intensité anormale, suscitent chez l'enfant une angoisse trop vive, et qu'on doit en conséquence lui éviter; elles sont en effet susceptibles de paralyser l'évolution, tandis que les frustrations normales ont une *valeur maturante*.

Insistons-y. *L'enfant ne peut mûrir que par les frustrations.* A chacune des étapes de la croissance, le progrès en avant n'est possible que par un renoncement à certains avantages du passé. Ainsi le sevrage exige qu'on renonce aux satisfactions faciles de l'oralité passive pour accepter une nourriture qui demande un effort de choix et de mastication, avec expulsion active des déchets. La conquête de la motricité exige qu'on renonce à bien des avantages du milieu de protection; il est bien connu par exemple qu'un petit enfant préférera longtemps qu'on le pousse sur la balançoire plutôt que de se balancer par son propre effort. L'accès à la maîtrise sphinctérienne veut également qu'on renonce au plaisir facile de se souiller là et quand on en a envie pour s'imposer la discipline du petit pot. L'accès au langage, qui établit une communication meilleure avec l'entourage, est une frustration aussi dans la mesure où il implique effort et acceptation de règles sociales.

Mais que faut-il entendre par « frustrations dont l'intensité ne dépasse pas ce qui peut être supporté », et comment l'éducateur peut-il en cette matière parvenir à un juste dosage ? Existe-t-il en un mot des normes pour apprécier quantitativement le degré de frustration supportable ? Non ! il n'en existe pas, car trop de facteurs sont en jeu ici pour qu'il soit possible d'édicter des règles simples. En premier lieu cela dépend de l'âge : plus l'enfant grandit, plus il devient capable de tolérer des frustrations plus importantes, et réciproquement, plus un enfant est jeune, moins il faut le frustrer. En second lieu, cela dépend aussi de la manière dont un enfant a été éduqué; c'est ainsi qu'un enfant gâté, c'est-à-dire à qui on a évité au début toutes les frustrations, se trouvera par là mal préparé à la vie, et réagira pathologiquement à toute privation ultérieure, si minime soit-elle. En troisième lieu, cela dépend du tempérament, la tolérance aux frustrations étant directement proportionnelle à la force de l'expansion vitale native et étant à son minimum chez les tempéraments de faible expansion; c'est ainsi que certains enfants de type rétracté, chétifs et hypersensibles, ne peuvent supporter d'être séparés de leur mère, même pendant un court laps de temps, et poseront de ce fait de graves problèmes, par exemple au moment de l'entrée à la maternelle.

A la vérité, il faut reconnaître que la ligne de démarcation séparant frustrations normales et frustrations pathologiques est imprécise et que, même dans le cours d'un développement normal, la vie peut quelquefois imposer à un enfant des privations pénibles, qui risquent d'entraver sa marche en avant. *L'éducateur a ici un rôle important à jouer, en ayant toujours présente à l'esprit la règle qu'on ne doit jamais rien exiger d'un enfant sans lui offrir une contrepartie.* La frustration enlevant à l'enfant une part de son capital de force vive, cette force vive qui lui est indispensable pour croître et s'épanouir, il importe que cette privation soit compensée par quelque don. Cela ne veut certes pas dire qu'il faut gâter l'enfant, le combler de bonbons et de jouets. Non ! La meilleure compensation à la frustration, c'est pour un enfant l'amour que ses parents lui portent, et qui le soutient dans ses efforts pour progresser.

Il faut ici opposer *gâter* et *consoler*. *Gâter* un enfant, c'est, on l'a vu, lui éviter toutes les frustrations, si minimes soient-elles, avec cet inconvénient grave qu'à moins de pouvoir prétendre le soustraire toute sa vie durant au contact des réalités, on l'expose à se trouver très mal aguerri devant une frustration, même peu intense, qui se produirait plus tard inopinément. *Consoler* un enfant, c'est très différemment l'aider à supporter une frustration trop pénible sans toutefois la lui épargner complètement. Lorsque par exemple un enfant en jouant se cogne maladroitement à un coin de table et se fait mal, le gâter, c'est le gratifier exagérément en lui enlevant toute responsabilité dans l'incident, comme si était seule en cause la « méchante » table qui se trouvait là; le consoler, par contre, c'est apaiser sa douleur par quelque parole ou quelque caresse, non sans lui faire comprendre que c'est de sa faute et qu'il devra à l'avenir faire plus attention.

Redisons-le encore. Pour que les frustrations inévitables soient vécues par l'enfant sans blessure psychique grave, il importe essentiellement qu'elles s'opèrent dans un climat d'amour mutuel. Il faut que les parents aiment leur enfant et que, dans chaque cas, ils compensent par leur amour l'anxiété et le vide causés par la frustration.

L'éducation à la propreté sphinctérienne est un des exemples les plus figuratifs qu'on puisse en donner. Le secret — il n'y en a qu'un — pour obtenir que l'enfant renonce au plaisir de faire ses besoins n'importe où et à n'importe quel moment, selon son caprice, et qu'il consente à se discipliner, c'est de lui donner de l'amour en échange du don qu'on lui demande. Que si, par contre, cette éducation à la propreté se fait dans un climat de contrainte sans tendresse, si l'on force l'enfant, si on l'attache, si on l'abandonne seul sur le petit pot, si on le menace et si on le frappe, on n'obtiendra rien, ou bien ce qu'on obtiendra pourra ultérieurement être remis en question.

De même si, désirant mettre un tout-petit à l'école maternelle, sa maman l'y conduit elle-même, veille à ce qu'il y soit bien entouré, l'encourage de toute son affection, valorise avec tendresse les petits efforts qu'il fait pour s'adapter à cette vie nouvelle pour lui, cela réussira. Que si par contre on le conduit de force à l'école, que c'est une étrangère qui l'y accompagne, qu'on le gronde et même qu'on le frappe s'il résiste, ou bien que le moment choisi ne soit pas opportun, que par exemple on veuille se débarrasser de l'enfant parce qu'on a à s'occuper d'une petite sœur récemment née (d'où frustrations accumulées) on risque alors des réactions plus ou moins manifestes de refus qui iront contre le but recherché.

Il résulte de ce qui précède que la frustration qui risque d'être la plus mal supportée est pour un enfant la *séparation d'avec sa mère*, si elle n'est pas compensée par la présence d'un substitut maternel valable : une grand-mère, une nourrice, une puéricultrice, un père aimant. Nous avons dit plus haut que la tolérance à la frustration augmente avec l'âge. Mais il faut ici apporter une distinction : avant l'âge de 7 mois, quand l'enfant n'a pas encore de Moi auquel rapporter les impressions qu'il éprouve, la séparation maternelle n'engendre pas d'angoisse visible, mais crée un vide qui se traduit chez le bébé par un état d'indifférence apathique et un défaut de réaction aux avances d'autrui. Ce n'est qu'après 7 ou 8 mois, c'est-à-dire au moment où la relation objectale s'établit et où débute la maîtrise des pulsions sous la gouverne du Moi que la séparation est traumatisante, génératrice d'une vive anxiété qui peut ensuite, si l'absence de la mère dure longtemps, se transmuer fâcheusement en apathie et indifférence affective. Il est facile de comprendre en effet qu'un enfant, entre 1 et 4 ans, est très attaché à sa mère et a besoin de sa présence, tandis qu'après 4 ans, il sera capable de supporter la frustration de l'absence et de maintenir son attachement affectif tout en étant pour un temps éloigné de sa mère.

L'on sait toutefois que lorsque la séparation n'a pas été trop prolongée, le retour de la mère peut suffire à en pallier les effets fâcheux, et qu'il n'en résulte alors aucun dommage ultérieur pour la personnalité de l'enfant. Il est des cas, par contre, comme nous le verrons plus loin en détail, où une séparation prolongée, ou bien des séparations répétées, ou bien le manque d'amour de la mère au moment du retour, créent les conditions d'états pathologiques.

3. LES MÉCANISMES DE DÉFENSE DU MOI

Le Moi, comme on l'a vu, a un rôle tout à fait primordial dans la maturation de la personnalité, car il représente, face aux pulsions du Soi, le principe de réalité, et il est *le régulateur de l'adaptation au monde.*

Il doit satisfaire à trois exigences différentes :

1. Celle des pulsions du Soi, en se mettant à leur service, mais aussi en les contrôlant *(expansion contrôlée)* pour les mieux adapter aux conditions du milieu.

2. Celle de l'adaptation au monde extérieur, en en acceptant les conditions; mais aussi très souvent en se défendant contre celles-ci.

3. Celle du milieu socio-culturel familial, qui impose certaines règles de conduite, et qui finit par être assimilé complètement à la personnalité de l'enfant, constituant alors une instance spéciale qu'on appelle le *Surmoi.*

Le rôle du Moi est de maintenir un équilibre entre ces trois exigences, en leur cédant lorsqu'elles sont licites, en s'y refusant lorsqu'elles sont abusives. Il doit donc avoir une *force* suffisante, et nous verrons que *la force du Moi est le facteur le plus essentiel d'une bonne adaptation.*

Disons tout de suite que la force ne doit pas être confondue, ni avec la violence, ni avec la rigidité. *La caractéristique d'un Moi fort, c'est tout au contraire la souplesse,* grâce à laquelle il peut réaliser, entre les diverses exigences, des compromis fructueux.

On peut se demander d'où le Moi tire cette force, et comment en particulier il se fait qu'il est capable de s'opposer parfois aux pulsions, alors que celles-ci disposent de toute la force vive de l'organisme. Eh bien, il la tire de deux sources, d'une part du Soi et d'autre part du Surmoi.

Expliquons-nous. On a vu que le Moi visait au début à satisfaire les pulsions du Soi tout en tenant compte des limitations du monde extérieur (principe de plaisir *différé*). Il est donc en quelque sorte le délégué du Soi, et en tant que tel il participe de la force de celui-ci. Lorsque *Nietszche* dit que « *Le Soi créa le Moi comme une main de sa volonté* », il énonce métaphoriquement une vérité très profonde. Il est bien vrai en effet que le Moi est comme la main un organe souple, habile, dont le toucher subtil excelle à appréhender la réalité dans ses aspects les plus divers. Mais il est bien vrai aussi qu'il n'a aucune énergie propre; son énergie, il la détient, comme la main, de ce qu'il est le prolongement de l'être tout entier et qu'il participe ainsi au dynamisme du Soi. On ne peut mieux comprendre les rapports du Soi et du Moi qu'en les comparant à ceux d'un jeune prince et de son gouverneur. Le jeune prince, qui se croit tout permis par droit de naissance, c'est le Soi. On lui a donné un gouverneur — le Moi — chargé de le diriger, de lui faciliter son adaptation. Mais ce gouverneur n'existe que dans sa dépendance au prince, lequel lui délègue ses pouvoirs. Aussi sa principale fonction est-elle de servir le jeune prince, de s'arranger pour que les désirs de celui-ci reçoivent satisfaction. Il advient cependant que le jeune prince exprime quelque désir impossible à réaliser, et même qui pourrait en s'accomplissant mettre sa vie en danger. Alors le gouverneur use de son autorité pour se dresser contre son jeune maître et s'opposer à ce qu'il exige.

Telle est la première source, la plus primitive, de la force du Moi. Il en est une autre, d'un apport plus tardif : c'est l'autorité des parents. Au début, on le sait, cette autorité est extérieure : les parents permettent ou interdisent la satisfaction des pulsions, et si on ne leur cède pas ils punissent. C'est précisément cette toute-puissance des parents qui, appuyant le Moi, lui permet de faire échec à la toute-puissance du Soi. Plus tard (entre 3 et 5 ans) cette autorité parentale *s'introjecte*, c'est-à-dire est assimilée à la personnalité de l'enfant, et c'est alors une voix intérieure, le *Surmoi*, qui dicte au Moi ce qu'il est bien et ce qu'il est mal de faire, cette instance intérieure participant bien entendu de la force de l'autorité qu'elle représente. Pour reprendre notre comparaison du prince, si le gouverneur peut s'opposer aux désirs de son jeune maître, c'est qu'il agit en pareil cas par délégation du père du prince, le Roi tout-puissant — le Surmoi — et qu'il ne pourrait enfreindre les ordres de celui-ci sans encourir sa disgrâce et son châtiment.

Les mécanismes de défense du Moi sont d'une grande diversité, et l'on peut dire dès maintenant que si les pulsions instinctives du Soi sont le lot uniforme de tous les êtres humains, représentant, on l'a vu, la force vitale globale qui assure le développement et est à peu près également répartie — par contre les défenses du Moi varient d'un sujet à l'autre. Il en résulte donc que *les hommes ne se différencient guère les uns des autres par leurs instincts, mais essentiellement par la manière dont les défenses du Moi, adaptant lesdits instincts, déterminent le comportement de chacun.* Ainsi par exemple, à étudier les enfants, on a au premier abord l'impression qu'ils diffèrent beaucoup les uns des autres quant à l'agressivité; à un extrême les batailleurs, à l'autre extrême les timides qui n'osent jamais se battre. Ce n'est toutefois qu'une apparence, car l'analyse psychologique montre que chez les timides l'agressivité, pour être frappée d'interdit, n'en persiste pas moins dans la profondeur, et qu'à l'occasion d'une colère elle pourra s'extérioriser avec une intensité qui surprend.

On comprend par là que, comme nous l'avons dit, *l'étude des mécanismes de défense du Moi constitue un des chapitres les plus importants de la psychologie de la personnalité.*

Pour apporter quelque clarté dans cette étude, nous allons répartir ces mécanismes de défense en trois groupes, en suivant d'ailleurs l'ordre le plus naturel.

Dans le *premier groupe*, nous considérerons le Moi au service du Soi et nous montrerons par quel processus s'opère *la défense contre le monde extérieur.*

Dans le *deuxième groupe*, nous examinerons comment le Moi parvient *à se défendre contre les pulsions instinctives* quand celles-ci sont jugées dangereuses pour la bonne adaptation.

Dans le *troisième groupe*, nous verrons comment le Moi aménage ses défenses pour sauvegarder *son équilibre face au Surmoi*, soit qu'il s'oppose aux injonctions de celui-ci jugées trop rigoureuses, soit qu'au contraire il s'y soumette.

a) *La défense du Moi contre le monde extérieur*

Lorsque le milieu environnant est éprouvé par le sujet comme dangereux et que le libre jeu de l'activité pulsionnelle se trouve par là entravé, le Moi, qui est au service du Soi, intervient pour parer au danger.

La défense la plus naturelle et la plus primitive consiste ici à soustraire le sujet au milieu, soit par la *négation*, soit par l'*isolation.*

La *négation* est la première forme du refus, s'exprimant par le « non ». On sait par exemple que la première réaction d'un enfant à la naissance d'un petit frère qu'il n'est pas disposé à accepter, craignant qu'il ne lui ravisse l'affection de sa mère, est souvent de nier cette naissance : « C'est pas vrai ! c'est pas mon petit frère ! t'es pas sa maman ! ». Plus le sujet, devant une situation pénible, éprouve d'angoisse, plus il est porté à la nier avec violence. Ainsi la mort inopinée d'un être cher provoque presque toujours au premier abord chez ceux qui l'apprennent un refus véhément : « Ce n'est pas vrai ! ce n'est pas possible ! », refus qui bien entendu ne sera pas maintenu et ne résistera pas aux preuves apportées par la réalité, tout au moins chez les individus normaux.

L'*isolation* est une négation, non plus seulement en paroles, mais en actes. Elle s'observe très fréquemment chez tout enfant qui se heurte à un milieu hostile et qui est incapable de l'aménager pour s'y adapter. On l'a vu, chaque fois que ses forces d'expansion rencontrent un obstacle, l'enfant tend à faire entrer en jeu ses forces de conservation et à se replier sur lui-même. Nous avons appelé cette défense la *réaction de mise à l'abri*, et nous avons montré qu'elle intervient soit en cas d'obstacle physique à l'expansion, par exemple fatigue ou maladie, soit en cas d'obstacle psychique, par exemple une peur, une contrariété, un chagrin. L'enfant cherche alors à faire retraite vers la maison, ou dans sa chambre, ou dans un petit coin tranquille ; ou bien il boude et refuse de se mêler aux autres.

La *régression* est un mécanisme de défense très proche de l'isolation et qui se combine souvent avec elle, les deux mécanismes faisant prévaloir le besoin de sécurité sur l'expansion vitale, sur la marche en avant. Par la régression, l'enfant revient en arrière et se conduit comme lorsqu'il était bébé. Par exemple, lorsqu'il s'est fait mal en tombant ou bien s'est disputé avec un camarade, il regagne la maison et se réfugie dans les bras protecteurs de la maman, comme lorsqu'il était tout-petit. Font partie de ces phénomènes régressifs toutes les conduites de l'enfant qui ne sont plus de son âge, les conduites de bébé : retour à la passivité du nourrisson, avec refus de toute activité, et fréquemment tétage du pouce; ou bien retour à l'activité impétueuse et désordonnée de l'expansion active; ou retour au laisser-aller sphinctérien se traduisant par l'encoprésie ou l'énurésie.

Fréquent aussi est *le jeu des nids*. Dans une famille nombreuse de notre connaissance, tous les enfants pratiquaient volontiers ce jeu, surtout à l'occasion d'une naissance qui leur apportait un petit frère. On renversait une petite table dans un coin; quelques chaises pour compléter, de manière à constituer un petit espace bien clos où l'on s'intallait; ou bien on se tassait à plusieurs dans le bas d'une armoire à n'en plus pouvoir respirer; ou bien encore on se glissait entre le divan et le matelas qui était dessus et l'on ne bougeait plus durant des heures... des heures d'enfant, bien entendu, c'est-à-dire quelques minutes. Pour bien comprendre ce que cela signifie, il convient de penser à ce que disait à la même époque un de ces enfants, regardant, émerveillé, l'image d'un kangourou avec son petit dans sa poche : « Oh! je voudrais aussi! ».

Cela n'est-il pas à quelque degré le fait de tous les êtres humains, petits ou grands? La maison n'est-elle pas pour chacun de nous le symbole même du refuge protecteur? Lorsque le voyageur solitaire, attardé dans la nuit, ayant froid et faim, voit dans le lointain la lumière d'un foyer où il va sans doute pouvoir trouver la fin de ses tribulations, ne sent-il pas l'espoir renaître en lui et la force qu'il lui faut pour poursuivre son chemin?

A ce propos encore, nous devons souligner l'importance que prend souvent chez les enfants *la défense contre les changements*. Il y a chez eux un contraste saisissant entre le besoin d'expansion vitale et le besoin tout opposé de sécurité dans le *statu quo*, qui se manifeste à certains moments et acquiert une intensité particulière dans les états de fatigue ou de maladie. Les éducateurs doivent respecter ce besoin de sécurité chez l'enfant et notamment ne pas contrarier inopportunément celui-ci dans ses petites habitudes. Combien il est fréquent par exemple qu'un enfant ne puisse s'endormir s'il ne tient pas le même chiffon chaque soir en se couchant, ou s'il n'a pas près de lui son petit ours familier. On croira bien faire quelquefois en remplaçant la vieille poupée toute abîmée par une toute neuve, surpris alors de constater que l'enfant tient à la vieille et néglige la neuve. De même, si l'on raconte à un enfant une histoire qui lui plaît, il demandera qu'on la lui raconte encore, mais si l'on s'avise de changer un épisode ou même simplement un mot dit par un des héros du récit, aussitôt l'enfant proteste : « Non ! il n'a pas dit... il a dit... ». Il apparaît manifeste qu'à certains moments, l'enfant craint par-dessus tout le changement et ne se trouve heureux que si autour de lui, tout se maintient dans le *statu quo*. C'est ainsi qu'on pourra comprendre les très fréquentes réactions de nervosité d'un petit enfant quand on le change dans ses habitudes, par exemple en voyage, ou lors d'un changement de chambre, ou s'il doit affronter des visages nouveaux.

La même tendance au retrait en soi se manifeste aussi dans ce qu'on peut appeler *le repli narcissique*. On sait que le petit enfant, tel le Narcisse de la légende, est entièrement centré sur lui-même, et qu'à cet âge, l'amour de soi prédomine presque exclusivement. Au fur et à mesure que l'enfant grandit, cet amour de soi fait place peu à peu à l'amour objectal, c'est-à-dire à l'amour d'autrui. Mais cet amour est échange et suppose comme condition nécessaire qu'on reçoive de l'amour en échange de celui qu'on donne. Lorsque cette condition n'est pas remplie, que l'hostilité, consciente ou inconsciente, des parents, ou simplement leur indifférence, réalise un climat de frustration affective, générateur d'angoisse, l'enfant se défend contre cette angoisse en se repliant sur lui-même et retirant son affection aux parents pour faire retour au narcissisme de son premier âge (repli narcissique ou narcissisme secondaire).

Cela se traduit en pratique par une attitude d'indifférence à l'égard de la famille, laquelle attitude peut, par déplacement, se manifester aussi à l'égard d'autres personnes; par une tendance à s'isoler, à se tenir à l'écart; par une difficulté de communiquer avec autrui; par une tendance à s'occuper exagérément de soi-même, de ses vêtements, de sa santé.

Il est fréquent aussi que certaines pratiques solitaires, notamment le tétage du pouce ou la masturbation, viennent ici en quelque sorte suppléer aux relations affectives manquantes, et qu'en conséquence, le meilleur remède pédagogique à ces pratiques réside dans les attentions tendres qu'on procure à l'enfant.

Il convient de souligner que ce repli narcissique, en dépit de la valorisation de soi qu'il comporte, ne représente pas quelque chose de positif, mais un manque, un vide intérieur, lequel appelle toujours une compensation, d'ordinaire sous la forme d'une revendication d'amour. Voici par exemple un garçon de 9 ans qui, au cours d'un séjour dans un home d'enfants, séjour qu'il semble accepter avec plaisir, ce que ses parents tendent à interpréter comme une indifférence à leur égard, téléphone un soir à sa maman en lui disant : « As-tu pensé à moi depuis que je suis parti ? » et sur sa réponse affirmative, il ajoute : « Pourquoi ne m'as-tu pas écrit ? »; puis « Passe-moi papa » pour poser à son père exactement les deux mêmes questions, sur un ton peu amène de revendication.

Ce repli narcissique n'attire guère l'attention, de par le fait qu'il ne s'exprime point par des manifestations caractérielles bruyantes; il peut néamoins avoir des conséquences fâcheuses pour la vie affective de l'enfant, pour ses échanges affectifs avec l'entourage, donc pour son adaptation au monde qui l'entoure.

Les éducateurs doivent être attentifs à en dépister les signes, et ils doivent interpréter à sa juste valeur l'indifférence affective d'un enfant, laquelle n'est qu'un masque, comme on l'a vu. Ils seront donc ainsi conduits à *ne pas traiter l'enfant avec indifférence*, dans la conviction fausse qu'il n'en souffrira pas, mais tout au contraire *à tenter par leur présence et leur affection de briser la glace de l'indifférence et de rétablir le contact perdu.*

Nous verrons plus loin que la régression, la recherche de la sécurité à tout prix, le repli narcissique peuvent avoir une signification pathologique et nécessiter alors l'intervention du psychothérapeute. Il est donc important de savoir différencier de tels cas de ceux où ces défenses appartiennent à la normale. Disons qu'elles sont normales quand leur durée et leur intensité sont proportionnées à la cause qui les a fait naître, et qu'elles s'interrompent quand ladite cause cesse d'agir, ou bien quand l'expansion naturelle retrouve sa force vive. Ainsi, par exemple, quand un enfant traumatisé par la naissance d'un petit frère se défend contre cette situation angoissante en régressant, on doit considérer cette défense comme normale à la condition qu'elle ne dure qu'un temps; elle est au contraire pathologique quand elle se prolonge, entravant alors la marche en avant du sujet.

Déplacement. Ce mécanisme de défense, beaucoup plus élaboré que les précédents, est basé sur le fait que la force d'expansion vitale est douée d'une grande plasticité, qu'en conséquence lorsque le milieu environnant lui fait obstacle, elle peut se déplacer, soit d'une tendance sur une autre, soit d'un objet sur un autre, ce qui offre le grand avantage de ne pas bloquer le processus pulsionnel.

Comme exemple d'un *déplacement de tendance*, on peut citer le cas du sadisme anal qui, empêché dans sa manifestation directe, peut se dériver vers le plaisir substitutif qu'ont la plupart des enfants à jouer dans la poussière ou dans la boue, à se barbouiller de saleté, à gribouiller du papier blanc, et qu'une telle dérivation peut être utilisée en éducation en fournissant aux jeux des enfants de la glaise ou de la pâte à modeler ou un bac de sable avec de l'eau. On sait également qu'un des meilleurs moyens de dériver l'agressivité sauvage réside dans la pratique des sports de compétition.

Il advient cependant que la force d'une tendance soit telle qu'elle ne puisse changer sa nature première. La défense du Moi opère alors par un *déplacement de l'objet de la pulsion*, celle-ci se portant vers un objet moins interdit que l'objet initial. Ainsi un enfant très jaloux de ses frères et sœurs, mais qui n'ose le manifester directement par crainte d'en être sévèrement puni, pourra s'en prendre par déplacement à un objet leur appartenant. Une fillette de 8 ans prouva un jour indirectement l'intensité de sa rivalité fraternelle en précipitant par la fenêtre, d'un geste agressif, toutes les poupées et baigneurs de la famille. De la même façon, nous fûmes un jour consultés pour un garçon de 7 ans, qui avait été catalogué pervers parce qu'il avait mis le feu au chat de la maison avec un journal enflammé; or ce n'était pas un pervers, mais tout au contraire un enfant très affectif, extrêmement jaloux de sa sœur qui était la préférée des parents, sévèrement censuré quand il se permettait un geste agressif direct, et il se trouvait que le petit chat auquel il s'était attaqué était l'animal favori de la fillette, ce qui expliquait le déplacement de l'agressivité sur lui.

Réciproquement, un enfant qui se voit rebuté dans ses sentiments d'affection pour les siens pourra les reporter sur un animal familier, un petit chat ou un petit chien, ou même un petit ours en peluche.

Dans un domaine quelque peu différent, nous avons le cas d'un garçon de 4 ans qui se masturbait devant tout le monde, aussi bien à l'école qu'à la maison; or son père était un homme sévère et violent, qui châtiait très durement les moindres manifestations sexuelles de l'enfant; moyennant quoi celui-ci cessa de se masturber à la maison, mais le fit de plus belle à l'école, où la tolérance plus grande du maître faisait moins obstacle à sa tendance.

Il faut remarquer que la plupart des jeux favoris des enfants réalisent d'utiles compensations aux frustrations de la vie en leur permettant de satisfaire par déplacement les tendances auxquelles le milieu fait échec. Le *jeu de la poupée* permet aux fillettes de prendre ainsi, sans interdit, la place de leur mère et de donner comme celle-ci des soins à « leur bébé ». Le *jeu de la guerre* permet aux garçons de satisfaire leur agressivité à l'aide de personnages substitutifs; et à ce propos, vouloir interdire la vente des soldats de plomb dans l'espoir d'éliminer les tendances agressives est absurde, car le seul moyen d'empêcher l'agressivité d'être nuisible est tout au contraire de lui permettre de s'assouvir dans des simulacres inoffensifs.

Ce mécanisme de déplacement est bien entendu inconscient, et c'est à l'insu du sujet qu'il opère. *Il appartient donc aux éducateurs, d'une part de ne pas contrarier l'enfant qui dérive ses buts pulsionnels vers des voies plus faciles, mais tout au contraire de le lui favoriser*, comme on l'a vu par quelques exemples; *d'autre part d'être attentif au processus en œuvre afin de comprendre par quelles motivations cachées un enfant opère de tels déplacements, ce qui peut amener à une plus grande tolérance à l'égard des pulsions initiales.*

Jeux et Fantasmes. Nous avons montré plus haut que le mécanisme de défense le plus primitif contre une situation qui cause une très vive angoisse était de nier l'existence de cette situation. Il est un procédé beaucoup plus élaboré qui consiste à nier, non pas la situation, mais l'effroi provoqué par celle-ci.

Bien des *jeux* des enfants s'expliquent par ce mécanisme, en ce qu'ils reproduisent la situation anxiogène, avec cet avantage toutefois que ladite situation est non plus subie, mais réalisée activement. Pour s'en rendre maître, l'enfant va la répéter un grand nombre de fois, y prenant un plaisir d'autant plus grand qu'il réussit mieux par là à réduire considérablement l'angoisse initiale.

Par exemple un enfant qui a éprouvé une vive angoisse lors de l'examen du docteur, une fois rentré à la maison jouera à faire le docteur avec ses frères et sœurs ou avec ses poupées. La petite fille à qui l'on a fait peur avec « les fantômes » dit que, pour ne plus avoir peur, il faut être soi-même un fantôme, et elle montre à son petit frère comment se déguiser avec un drap blanc pour faire peur aux autres.

Ce second exemple nous montre que l'enfant peut se défendre contre l'angoisse en menaçant activement l'autre, celui qui lui fait peur, ce qui est une manière de ne pas avoir peur en étant soi-même le menacé. On voit à l'œuvre ici le processus de l'*identification à l'agresseur*, qui est la première en date des relations objectales. Il arrive par exemple qu'un enfant ait très peur d'un animal déterminé; il pourra parvenir à dominer sa peur en s'identifiant à cet animal, et il pourra ensuite se servir de cette identification pour effrayer d'autres enfants.

Les éducateurs se doivent de connaître et éventuellement d'utiliser ce mécanisme de défense. Il nous est arrivé de conseiller aux parents d'une petite fille qui avait une peur panique des chiens de lui offrir en cadeau un tout petit chien de quelques semaines, auquel il était à présumer qu'elle s'identifierait plus volontiers, ce qui se produisit effectivement et permit à la fillette de surmonter plus tard sa peur des gros chiens.

A la répétition active de ce qui a été éprouvé passivement, il faut ajouter l'anticipation active de ce qui pourrait être éprouvé passivement à l'avenir, ce qui est aussi une manière de se défendre contre une angoisse possible.

On peut considérer que le mécanisme d'identification représente une régression de la relation objectale.

C'est également la régression qui est à l'œuvre dans les *fantasmes*. On sait en effet le rôle important que joue la rêverie chez l'enfant en régression. Il en est de la *rêverie éveillée*, qu'on appelle encore *fantasme*, comme du rêve nocturne (état régressif lui aussi) dont *Freud* nous a enseigné qu'il est une réalisation plus ou moins travestie de désirs qui n'ont pu être assouvis durant la veille.

Le fantasme était à l'œuvre déjà dans les jeux. Il est certain que l'enfant, en s'identifiant à la maman dans le jeu de la poupée ou de la dînette, au héros dans les jeux guerriers, se donne par le fantasme un rôle de « puissant » qui lui sert à compenser ses sentiments d'impuissance et à diminuer ainsi l'anxiété que lui cause cette impuissance. A titre d'exemple, citons à nouveau le cas des enfants qui jouaient aux *nids*, parmi lesquels un garçon un peu plus rêveur que les autres, nostalgique du passé; chaque fois qu'il énonce quelque idée un peu extravagante, il invente, pour échapper à la critique des grands, un monde à lui où tous les désirs correspondent à la réalité. Il dit sans cesse : « *Dans mon pays, il y a ceci, il y a cela... il y a des géants, des montagnes de chocolat...* » Et bientôt tous ses frères et sœurs adoptent cette méthode pour s'évader de ce qui dans le monde des adultes leur déplaît. L'un dit : « *Dans mon pays il n'y a que des choses nouvelles* »; et il fournit de lui-même une explication en ajoutant : « *quand j'ai un jouet depuis longtemps, je ne l'aime plus parce que je le connais* ». Le même, quand on lui demande s'il a un papa dans son pays, répond que oui; et à la question : « *Lequel aimes-tu le mieux?* » il réplique « *Le papa de mon pays, car il est vieux et ne gronde jamais* ». A son entrée au cours préparatoire, le même garçon, qui regrette le paradis familial, dit : « *Dans mon pays, on met les mots n'importe comment dans les phrases ; il faut deviner, et on met parfois une demi-journée pour lire une page. Même dans les mots on met les lettres comme on veut* ». Mais comme c'est un enfant raisonnable, il ajoute quelque temps après : « *On fait maintenant des lois pour changer ça et écrire normalement.* » Et quand on lui demande s'il a joué avec les petits camarades à la récréation, il dit : « *Non ! j'aime mieux penser à mon pays.* »

Une des fillettes, vers ses cinq ans, dit à table : « *Je me marierai avec mon papa.* » Comme un de ses frères lui rétorque avec violence que « *c'est pas permis* », elle se réfugie aussitôt dans le fantasme rassurant et dit : « *Oh! c'est pas avec mon papa d'ici* (regardant son papa) : *c'est pas avec toi ; toi, tu as déjà maman ; c'est avec mon papa de mon pays.* »

Bien entendu, au fur et à mesure que ces enfants avancent en âge, ils osent de moins en moins parler de « leur pays », mais ils y pensent encore et emploient des détours. Ainsi l'inventeur de « mon pays » dit un jour : « *Dans le pays de mon petit frère, on a une tonne de fraises pour deux francs.* » « *Il n'existe pas, ton pays !* » lui rétorque sans ménagement sa sœur. Alors le garçon : « *J'ai pas dit dans mon pays, j'ai dit dans le pays de mon petit frère.* »

Le problème se pose ici de savoir si une telle pensée fantasmatique est compatible avec un développement normal, et si les parents doivent ou non s'en alarmer. La réponse est nette : ces fantasmes compensateurs aident les enfants à franchir des passes difficiles; ils sont donc souvent nécessaires au processus de maturation. Mais c'est à la condition qu'ils ne se substituent pas complètement à la réalité. On a vu dans les exemples ci-dessus que les enfants sont amenés à rectifier d'eux-mêmes et à rétablir la réalité quand cela redevient nécessaire. Comme le dit très justement *Anna Freud*, le petit garçon qui, assis dans un fauteuil, s'imagine qu'il est un roi, devra, quand on l'appelle pour le repas, redevenir tout de suite un simple petit garçon et obéir à l'injonction; il est certain que s'il ne le faisait pas, s'il poursuivait son rêve de puissance sans se soucier de la réalité qui l'entoure, il serait dans une situation pathologique, et ses parents feraient bien alors de solliciter pour lui une consultation médicale.

Il est fréquent que ce refuge dans le fantasme se produise durant les heures d'école chez certains enfants mal adaptés à ce qu'on y exige d'eux. De tels enfants sont des « distraits-absorbés »; ils sont en effet absorbés par leur rêve intérieur et distraits de ce qui se passe autour d'eux; on dit vulgairement qu'ils sont « dans la lune ». Que cela se produise de temps à autre, à l'occasion d'un moment de fatigue ou d'une leçon ennuyeuse, on ne saurait s'en alarmer, car c'est normal; mais quand cela dure et que l'enfant, inattentif à ce qu'enseigne le maître, n'apprend plus rien, il faut considérer la situation comme pathologique.

Il convient de souligner aussi que l'intérêt pris par les enfants aux *contes de fée* provient de ce que la féerie reproduit leurs propres fantasmes. D'une part ils y trouvent l'expression même de leurs désirs de toute-puissance magique, compensateurs, on le sait, d'une réalité frustrante : « *J'ai faim et je rêve d'un repas plantureux ; aussitôt, par la vertu de la magie, une table chargée de mets est devant moi.* » D'autre part, ils y peuvent vivre aussi par déplacement leurs pulsions interdites; en particulier, l'agressivité sadique-orale, si forte chez beaucoup d'enfants et si censurée, se trouve dans les contes de fée projetée sur le grand méchant loup ou sur l'ogre. On dira peut être ici, de même que pour les jeux, qu'il ne faut pas fournir aux enfants des lectures de ce genre, qui seraient, croit-on, susceptibles d'exalter leur cruauté ou leur croyance en la toute-puissance magique du désir. Mais encore une fois, en disant cela on se trompe, car on méconnaît ainsi que les contes fournissent à l'enfant un exutoire nécessaire à des tendances dont il ne pourra plus tard parvenir à se dégager que s'il a pu dans un premier temps les vivre.

b) *La défense du Moi contre les pulsions*

Le Moi, on l'a vu, est une instance d'unité et d'adaptation. Or, la force expansive des pulsions peut, de par son intensité même et son caractère sauvage de tout ou rien, mettre en danger l'unité, l'équilibre de la personnalité, ou son adaptation aux exigences du milieu extérieur, y compris cette part du milieu extérieur qui est représentée par l'autorité parentale, plus tard introjectée en Surmoi. On comprend par là que l'angoisse, ce signal d'alarme du Moi, puisse surgir par le seul fait de l'intensité excessive des instincts. C'est ainsi par exemple qu'une forte excitation sexuelle chez un jeune enfant, telle qu'elle peut résulter de caresses ou de la vue des rapports intimes d'adultes, loin de procurer du plaisir, peut être cause d'un tourment insupportable.

La défense du Moi opère en ce cas par réduction des pulsions, pouvant aller jusqu'à leur *inhibition totale.* On saisit ici le trait fondamental par lequel se distinguent l'état normal et l'état pathologique. En effet, pour que l'équilibre de la personnalité et son efficience soient sauvegardés, il convient que la force des pulsions qui est, on le sait, la force même par laquelle la vie s'entretient, ne soit pas complètement annihilée; car lorsqu'il en est ainsi, on verra qu'il en résulte obligatoirement une situation pathologique.

Il nous faut dans ce sens opposer les deux mécanismes de défense du Moi qu'on appelle *refoulement* et *sublimation.*

La répression instinctive s'opère par le *refoulement* des pulsions dans l'inconscient, processus qui ne supprime pas pour autant la force pulsionnelle, mais qui la rend pour le présent inopérante, l'empêche de se manifester dans la conduite et en élimine du conscient toute représentation. Quand le refoulement d'une pulsion est total, tout ce qui se rattachait à cette pulsion : — désirs, sentiments, souvenirs, actes instinctifs — disparaît dans l'inconscient, mais en y gardant sa puissance dynamique, de sorte que le Moi n'en a pas fini avec un seul acte de refoulement; il doit continuer sans cesse de refouler ces forces instinctives qui aspirent à la réalisation, d'où, aux frontières du Moi et du Soi, un état de paix armée, une tension permanente qui se remarque à ce que les « refoulés » sont des gens « tendus », « nerveux ».

Ajoutons que le Moi, pour mieux s'assurer la maîtrise des pulsions refoulées, développe dans le conscient, par un autre mécanisme de défense, le *mécanisme du retournement en contraire,* les tendances exactement opposées. Par exemple, la forte tendance des petits enfants à exhiber leur nudité, objet ultérieur de refoulement, fait alors place dans le conscient à la tendance contraire à avoir honte de sa nudité, et l'on sait combien cette tendance en arrive à être forte chez les adultes.

On appelle ces tendances contre-pulsionnelles les *formations réactionnelles du Moi.* L'agressivité et l'indiscipline font place à la douceur et à la docilité; la saleté fait place à la propreté; l'impudeur fait place à la pudeur; le caprice fait place à la ponctualité, à l'observation stricte des règles.

Ces formations réactionnelles apparaissent à des âges variables selon les sujets. Il est à remarquer qu'elles sont en général plus intenses et plus précoces chez les filles que chez les garçons, ce qui détermine, on le sait, certains traits caractéristiques de la psychologie féminine, tels que la docilité, la douceur, la propreté et la pudeur.

On sait aussi qu'à l'âge scolaire, ces formations réactionnelles jouent un très grand rôle dans l'adaptation, dans l'observance des horaires et des règles, dans la tenue propre des cahiers et dans l'apprentissage de l'écriture. Mais il faut ici tracer une ligne de démarcation entre ce qui est indispensable pour canaliser les pulsions, et ce qui devient assez souvent, par le fait d'éducateurs trop rigides, *une discipline en soi*, susceptible d'étouffer la spontanéité vitale des enfants. On sait que l'école traditionnelle n'a pas toujours su tracer au bon endroit cette ligne de démarcation, et que certains éducateurs — entre autres *Freinet* en France — ont réagi en revendiquant pour les enfants une plus grande liberté créatrice. *En ce domaine aussi, l'état normal, c'est l'adaptation souple ; l'état pathologique, c'est la rigidité.*

On doit remarquer qu'une *certaine* répression des instincts et les formations réactionnelles correspondantes font partie de l'évolution normale de la personnalité sous l'influence de l'éducation. Mais ce qui caractérise cette évolution normale, c'est que le refoulement n'est pas total, et qu'il subsiste par conséquent une certaine part active de l'instinct, une part non refoulée. C'est en cela que réside la différence essentielle entre *refoulement* et *sublimation.* La *sublimation,* ou civilisation des instincts, est le processus normal par excellence. Alors que dans le refoulement total, la force vive d'un instinct est entièrement empêchée d'agir, dans la sublimation cette force vive est conservée intacte, mais elle n'a plus son caractère sauvage primitif : elle s'est socialisée. Le mot sublimation fait ici image : de même qu'en vaporisant dans une cornue un sel minéral grossier, on obtient que ce sel se dépose sous la forme de cristaux fins et épurés, autrement dit qu'il se « sublime » (c'est ainsi par exemple qu'on prépare en chimie le « sublimé corrosif » ou bichlorure de mercure), de même, sous la pression des instances socio-culturelles, les pulsions sauvages se civilisent, se réalisant sous une forme qui est en accord avec les exigences du milieu, et cela, répétons-le, sans perdre leur dynamisme propulsif. Ainsi l'instinct sexuel, au lieu de se manifester sous le mode brutal de l'instinct captatif, dans un désir égoïste de jouissance qui ne tient aucun compte de la satisfaction propre du partenaire, traitant donc celui-ci comme un simple objet, va se transmuer en tendresse et amour oblatif, la joie de la possession étant alors fonction de ce qu'éprouve de son côté le partenaire, *traité non plus comme un objet, mais comme un sujet.*

On peut de la même manière opposer l'agressivité sauvage de l'enfant qui se bat avec un camarade pour le terrasser ou le culbuter afin d'arriver avant lui, et l'agressivité sublimée de celui qui, voulant être le premier dans une course, cherche à distancer son adversaire en courant mieux que lui, mais avec fair-play, sans le bousculer ni lui faire de croc-en-jambe.

Il ne faudrait pas croire cependant que la sublimation

puisse être intégrale, qu'on puisse par exemple transmuer complètement l'amour sexuel en amour platonique. C'est là une illusion très répandue et qui est à l'origine de bien des erreurs éducatives. Le processus de sublimation ne peut jamais être que partiel. Il comporte trois parts : une part d'assouvissement direct de l'instinct; une part de refoulement; une part de sublimation véritable, c'est-à-dire de déplacement de l'énergie instinctive vers des buts sublimés.

Il en résulte cette conséquence éducative très importante qu'*on parviendra d'autant mieux à sublimer un instinct qu'on ne le réprimera pas trop, lui accordant au contraire une satisfaction partielle*. Si par exemple on veut obtenir qu'un enfant soit un jour capable de sublimer sa sexualité et son agressivité, d'en transférer l'énergie dynamique vers des buts socialement acceptables, fût-ce même vers des buts idéalistes, il est essentiel de lui laisser pour une part assouvir directement ses pulsions érotiques et agressives.

Soulignons ici que, dans ce processus de sublimation, il se produit une modification radicale dans les rapports du Moi et du Toi. Les pulsions du Soi, dans leur sauvagerie première et leur exigence de tout ou rien, s'assouvissent, on l'a vu, sans se soucier des limitations du milieu environnant, c'est-à-dire, pour s'exprimer en termes de rapports humains, sans se soucier de l'Autre, de son existence propre, de ses désirs propres. L'Autre n'est alors qu'un objet, un moyen pour s'assouvir, nous l'avons dit déjà; ainsi par exemple la mère, en laquelle le nourrisson ne voit au début qu'un simple abreuvoir de lait. Par la sublimation, l'Autre devient un sujet, un partenaire à égalité, pour lequel on a la même considération et le même amour que pour soi-même.

Par ce qui vient d'être dit, on comprend que, de tous les mécanismes de défense du Moi, la sublimation soit le plus parfait, celui qui correspond le mieux aux exigences d'une adaptation normale, au nécessaire compromis entre les diverses instances en présence.

On voit aussi que la sublimation n'est pas exactement, quoiqu'on en ait dit parfois, le contraire du refoulement, puisqu'elle comporte une part de refoulement. La différence essentielle entre les deux processus réside dans la sauvegarde des possibilités créatrices; par le refoulement, ces possibilités sont supprimées dans tout un secteur de la personnalité, tandis que par la sublimation, la force dynamique de la pulsion est conservée et garde ainsi son pouvoir créateur. Nous aurons à en reparler quand nous traiterons, à propos des névroses, de ce que nous appelons le « secteur libre ».

Projection. Le refoulement, on l'a vu, ne suffit pas toujours à faire taire l'angoisse, puisque la pulsion interdite est là dans l'inconscient et presse de toute sa force à la porte du conscient. Les formations réactionnelles sont, comme nous l'avons montré, un mécanisme complémentaire utile. Mais il persiste chez la plupart des sujets refoulés une obscure conscience de culpabilité, engendrant un malaise vague, qui peut parfois s'intensifier au point de susciter l'intervention d'autres mécanismes de défense. L'un de ces mécanismes réside dans le rejet de la pulsion au-dehors, dans sa *projection sur une autre personne* que le sujet. Lorsqu'ayant refoulé complètement son agressivité, par surcroît on la projette, on se croit alors consciemment dénué de toute hostilité contre autrui, mais par contre on ressent le monde extérieur comme hostile, comme chargé d'agressivité contre soi; ainsi un garçon en forte rivalité avec son père, mais qui a refoulé cette rivalité et l'a projetée sur celui qui en était l'objet, aura l'impression que son père le déteste et manifeste à son égard une sévérité méchante, alors que c'est faux, alors que c'est lui, le garçon, qui est le principal responsable.

De même, le sujet incapable d'aimer et qui a projeté son incapacité, aura l'impression que personne ne l'aime. De même le sujet qui a refoulé ses pulsions homosexuelles et qui par conséquent ignore qu'une telle tendance est en lui, tendra à voir partout des personnes de son sexe disposées à lui faire des propositions malhonnêtes. De même encore la vieille fille qui a refoulé sa sexualité verra dans la plupart des hommes, par projection, des satyres prêts à attenter à sa pudeur.

Cela peut aller jusqu'à une altération sérieuse des perceptions. Ainsi un petit garçon observé par *Pfister* croyait voir les yeux étincelants du diable, et cela exprimait, en projection, sa mauvaise conscience d'avoir espionné sa mère.

Nous touchons ici, à dire vrai, au domaine de la pathologie, car des projections aussi fortes altèrent gravement le sens de la réalité et l'adaptation. C'est la raison pour laquelle on parle ici de « paranoïa », ce mot voulant dire « jugement faussé », et caractérisant des sujets orgueilleux, toujours convaincus de leur innocence et de la méchanceté des autres.

Mais hormis ces cas extrêmes appartenant à la pathologie, la projection est très fréquente chez les sujets normaux. Rien n'est plus commun à tout âge que de tendre à reporter sur autrui les fautes qu'on commet. Le « ce n'est pas moi, c'est lui » de l'enfant pris en faute en est un exemple très courant. Et cela peut aller très loin : un petit garçon, vers ses trois-quatre ans, manifestait souvent l'inquiétude que les objets accrochés au mur, la pendule, les tableaux, puissent se détacher et tomber sur lui, et il arrivait qu'aucun argument ne parvienne à calmer son appréhension; il apparaissait manifeste que c'était là une projection de son agressivité sur les choses (il était certain par le contexte clinique que ce garçon avait une forte charge agressive refoulée) avec en plus le processus également fréquent (étudié un peu plus loin) du retournement contre soi.

Bien qu'à un certain degré, la projection soit un mécanisme de défense normal, il n'en reste pas moins qu'elle offre deux inconvénients majeurs. D'une part, en rapportant ainsi à autrui nos propres désirs et nos propres sentiments, nous portons sur lui un jugement faux, puisque nous ne le voyons pas tel qu'il est, mais *tel que nous l'avons fait* par notre projection. D'autre part, nous nous aveuglons sur nous-mêmes en nous empêchant de reconnaître notre responsabilité.

Il est donc désirable qu'un enfant ne fasse pas trop usage de la projection. Ce n'est point par des arguments de raison que les éducateurs pourront y remédier. Mais comme la projection est directement liée à l'angoisse des pulsions interdites, le remède est évidemment dans la levée au moins partielle des interdictions. Une bonne compréhension éducative, tolérant dans une large mesure les satisfactions pulsionnelles de l'enfant, c'est-à-dire facilitant le processus de sublimation, évitera le développement du processus paranoïaque de projection.

Régression. Il est un autre mécanisme de défense qui vient souvent compléter le refoulement. C'est celui que nous avons déjà étudié comme défense contre le monde extérieur, par une régression. Il opère de la même façon à l'égard du monde intérieur des pulsions, c'est-à-dire qu'il remplace la situation actuelle, avec son conflit anxiogène entre le Moi et les pulsions dangereuses, par une situation passée où ce conflit n'existait pas. L'exemple le plus simple, et d'ailleurs très courant, est celui d'un enfant qui se trouve à un moment donné chargé d'agressivité contre une mère frustrante et qui, ne parvenant pas à refouler complètement sa haine, régresse à cette période antérieure de sa vie où il était uni par les liens les plus tendres à une bonne mère nourricière ; nous verrons par exemple en étudiant le conflit œdipien que cela est particulièrement fréquent chez les filles à la puberté, et que, dans les cas pathologiques, cela peut empêcher la maturation féminine de s'accomplir.

Nous avons dit plus haut qu'en cas de conduite régressive d'un enfant, les éducateurs doivent se demander quelle en est la motivation profonde, quel est l'obstacle extérieur qui a stoppé les progrès de l'enfant et l'a fait revenir en arrière. Il faut ajouter ici que l'obstacle en question n'est pas nécessairement extérieur, et que, dans nombre de cas, il s'agit d'un obstacle intérieur, tenant à des pulsions génératrices d'angoisse, ce qu'il est parfois beaucoup plus difficile de mettre en évidence, de par le fait que refoulement et régression additionnant leurs effets, la tendance coupable est profondément enfouie dans l'inconscient.

Isolation. Minimisation. Rationalisation. Au contraire de la régression, ce sont là des mécanismes de défense plus évolués, dans lesquels le Moi réussit à maintenir le contact avec la réalité, tout en aménageant celle-ci.

En ce qui concerne l'*isolation*, il convient de souligner que les deux instincts primordiaux, la *sexualité* et l'*agressivité*, nécessitent l'un et l'autre le contact intime des corps. Lorsque ce contact est frappé d'interdit, la défense la plus efficace consiste à le rompre en s'isolant de l'objet d'amour ou de haine, et en se tenant à l'écart de celui-ci. On se préserve ainsi contre un rapproché trop intime qui serait vécu dans la peur et l'angoisse. Par exemple si un homme éprouve envers un autre de très forts sentiments de haine qu'il ne parvient pas à dominer, il peut s'en défendre en évitant avec soin de passer dans la rue où habite son ennemi. De même si une femme se sent très attirée sexuellement par un autre homme que son mari, elle pourra se refuser à aller dans une soirée mondaine où elle est exposée à rencontrer l'objet de son désir interdit. De même encore, nous citerons le cas d'un jeune garçon en très forte rivalité avec son frère, et qui, ayant de fortes impulsions à le frapper, se défendait contre ces impulsions en quittant le jeu, attitude qu'il justifiait en disant : « *Je sens que je vais m'énerver ; je préfère rentrer à la maison.* »

On verra à l'étude pathologique (L. II) que, dans ses formes très accusées, ce mécanisme d'isolation est caractéristique de la névrose obsessionnelle, et que ce qu'on appelle les *rituels* de cette névrose s'expliquent par la crainte des contacts interdits.

La *minimisation*, ou atténuation, tend à refroidir en quelque sorte les affects déplaisants, et par là à diminuer l'angoisse qu'ils suscitent. Le « je ne l'ai pas fait exprès » de l'enfant pris en faute vise à atténuer la responsabilité de l'acte. Ou bien le « maman, on s'amuse seulement » minimise l'action en transformant la bataille en un jeu. On sait par ailleurs combien l'adulte excelle à se soustraire à l'angoisse d'un événement traumatisant en déclarant que cet événement n'a pas l'importance qu'on lui donnait, que ce n'est rien ou presque rien.

La *rationalisation* est aussi une défense contre l'angoisse des affects. En particulier quand ceux-ci ont été refoulés et qu'ils ne pourraient se manifester à nouveau sans encourir la réprobation du Moi, la raison les prend à son compte et les formule en règles et en principes de conduite qui sont autant de justifications après coup. Nous verrons plus loin combien les parents font souvent usage de cette rationalisation pour expliquer certaines conduites éducatives qui ont en fait leur véritable origine dans l'inconscient affectif. Ici nous donnerons l'exemple d'un petit garçon qui détestait une maîtresse d'école trop sévère, mais n'osait, par crainte de représailles, le manifester ouvertement. Il disait chez lui que la maîtresse n'était pas belle, qu'elle n'avait pas de beaux cheveux, qu'elle avait de trop grands pieds, dépréciation rationalisante qui était pour lui la seule manière possible d'exprimer son agressivité.

Autre exemple : il est fréquent que des sujets obsédés par la crainte morbide des contacts et qui se lavent sans cesse les mains justifient leur conduite par le danger possible des contaminations microbiennes.

c) *La défense du Moi face au Surmoi*

A l'état normal, le Surmoi, qui représente les idéaux et les interdits parentaux introjectés dans la personnalité de l'enfant, se confond avec le Moi. C'est l'appui qu'il donne au Moi qui permet à celui-ci, comme on l'a vu, de réprimer les instincts et de développer par l'éducation les formations réactionnelles, ainsi que le processus de sublimation.

Il est toutefois des cas où le Surmoi s'impose avec des exigences d'une sévérité particulière, de sorte que le Moi est obligé d'entrer en lutte avec lui s'il veut maintenir un juste équilibre avec les exigences des pulsions. En effet, il advient alors que toute satisfaction pulsionnelle, fût-elle très modérée, éveille dans le Moi une forte angoisse de culpabilité, émanant du Surmoi trop sévère.

Pour atténuer cette angoisse, l'enfant est souvent amené à refouler son sentiment de culpabilité, lequel devient alors inconscient, mais par là-même en vient à imprégner toute la personnalité, de sorte que, quelle que soit l'action qu'il entreprend, le sujet a toujours l'impression qu'il est en faute, mais sans savoir exactement pourquoi. A l'état normal, cette tendance détermine un caractère scrupuleux, toujours soucieux d'accomplir en toutes occasions son devoir. Il est même des sujets qui, sous l'influence de cette culpabilité inconsciente, en arrivent à ne pouvoir goûter pleinement ce qui leur arrive d'heureux, dans la conviction où ils sont que ce bonheur n'est pas tout à fait mérité, qu'il leur faudra le « payer ».

Le refoulement de la culpabilité peut être complété par des *formations réactionnelles*. En particulier, il est assez fréquent que des enfants dans cette situation se comportent d'une manière tout à fait insouciante, j'm'en fichiste, et apparaissent ainsi superficiellement comme aux antipodes des scrupuleux dont il vient d'être fait mention; mais il faut comprendre que c'est par réaction contre leur culpabilité profonde.

La *projection* peut intervenir aussi : « ce n'est pas moi qui l'ai fait, c'est quelqu'un d'autre ». La tendance à rejeter constamment la faute sur les autres indique en général de très forts sentiments de culpabilité refoulés. La projection peut être partielle, et l'on sait combien le sentiment de culpabilité diminue quand il peut être partagé avec autrui, quand par exemple un autre a fait la même chose que vous. Ce partage de la culpabilité a une importance de premier plan dans la formation des groupes.

En sens inverse la défense du Moi peut opérer par un autre processus, qui est le *retournement contre soi* des pulsions interdites par le Surmoi. Ce mécanisme de défense, qu'il faut distinguer du retournement en contraire étudié précédemment comme étant à la base des formations réactionnelles, indique que l'angoisse majeure provient ici, non du sentiment de culpabilité, mais de la crainte d'être châtié par le Surmoi; d'être privé de l'estime et du soutien de celui-ci, ce qui peut signifier une grave menace de mort. Au lieu de se soustraire au sentiment de culpabilité, l'enfant dans cette situation se reconnaît coupable et consent à être puni pour l'action répréhensible accomplie, fût-ce seulement en intention. Le fait est particulièrement net quand il s'agit des pulsions agressives; le désir agressif d'éliminer le rival se transforme alors en désir d'être soi-même éliminé; la critique dénigrante d'autrui devient auto-critique; le désir de surclasser autrui se mue en désir d'être soi-même surclassé, mis en situation d'infériorité.

En acceptant ainsi la punition du Surmoi — qui est autopunition puisque le Surmoi est partie intégrante de la personnalité — le sujet développe en lui-même une attitude de *masochisme moral* : il se complaît à être humilié, infériorisé; il en vient à préférer l'échec à la réussite, la souffrance à la joie; mais c'est bien entendu, comme on l'a vu, pour éviter un mal pire : la perte de l'estime du Surmoi et le rejet qu'implique cette perte.

Tout cela se présente ici, on le comprendra sans peine, sous la forme atténuée d'une *dépression mineure*, compatible dans une large mesure avec une adaptation à peu près normale, et il nous faut souligner que le sentiment inconscient de culpabilité, lié au retournement contre soi des pulsions enfantines, existe à quelque degré chez la majorité des hommes, déterminant, comme on l'a vu, ce caractère scrupuleux qui, lorsqu'il n'est pas trop accusé, est un facteur de bonne moralité et de conscience professionnelle.

Nous verrons par contre que tous ces signes se retrouvent sous une forme extrême en pathologie dans les *états dépressifs majeurs*, où ils se montrent annihilants.

CHAPITRE III

LE STADE GÉNITAL

Nous avons laissé l'évolution de l'enfant pour développer le rôle important de l'angoisse ainsi que des frustrations, et marquer la part prépondérante des mécanismes de défense du Moi dans l'adaptation, ainsi que dans l'accession progressive à la maturation.

Nous revenons ici à la description de cette évolution en abordant un des stades les plus importants de la vie enfantine : le *stade génital*, qui se divise lui-même en deux phases distinctes : la *phase auto-érotique* et la *phase proprement sexuelle.*

Selon *Freud* — et nous partageons entièrement ses vues — la volupté se manifeste dès le début de la vie et, bien avant d'être l'apanage essentiel des organes sexuels, elle est diffuse, intéressant l'organisme dans son entier. C'est ainsi que *Freud* a été amené à décrire un érotisme buccal, un érotisme anal, un érotisme cutané, un érotisme musculaire. A dire vrai, le mot érotisme a mauvaise presse dans la langue française, car il y est d'ordinaire synonyme de dévergondage sexuel.

De la même façon, il ne nous est guère facile d'employer le mot *libido* au sens de force vitale créatrice où l'entend *Jung*, car ce mot évoque irrésistiblement dans nos esprits l'adjectif libidineux qui lui aussi est péjoratif. L'on touche ici à une des raisons qui ont fait méconnaître pendant longtemps l'existence de l'érotisme enfantin. On y voyait un vice, une perversion, alors que si l'on rend au mot « eros » son sens originel de puissance de vie, l'érotisme devient alors une affirmation de vitalité inséparable de toute croissance normale.

On est alors amené à concevoir, avec les psychanalystes (tout particulièrement *Alexander*) que lorsqu'une fonction vitale a satisfait à ses exigences premières, le surplus de vitalité qui lui reste est *érotisme*. Quand un nourrisson a tété tout son content, il se complaît à titiller le mamelon de sa mère, ou à se sucer la langue, ou à téter son pouce, activités non point utiles, mais voluptueuses. Qui niera par ailleurs le plaisir qu'a un bébé, au cours de la toilette ou après celle-ci, à être caressé ? Qui niera que l'exercice musculaire, en dehors de sa fonction d'utilité, ne procure à chacun de nous, à tout âge, une volupté particulière, par exemple dans la danse ? Qui niera de même que nos récepteurs sensoriels, une fois remplie leur fonction d'information, ne nous procurent la volupté des contacts, des couleurs et des sons ?

Plus un enfant est riche en vitalité, plus il dispose, en sus de ses besoins vitaux immédiats, de toute une gamme de voluptés, qui enrichit sa personnalité. Et lorsque la croissance des premières années, qui absorbe presque toutes les forces vitales, se ralentit, le surplus disponible est à l'origine de la sexualité, fonction de luxe à cet âge, bien entendu. Il en sera de même à l'époque de la puberté, et c'est, notons-le, quand la croissance touche à son terme que se produit la grande expansion sexuelle conduisant à la procréation.

C'est donc par une incompréhension totale des besoins de

l'enfance que les éducateurs censurent et cherchent à interdire les manifestations d'érotisme. A l'extrême, n'entend-on pas dire parfois qu'il ne faut pas caresser les enfants, ni les embrasser, ni les bercer, ni leur permettre de sucer leur pouce ? Un peu plus tard, vers 3 ou 4 ans, quand la sensibilité des organes génitaux s'éveille, ne va-t-on pas jusqu'à considérer parfois comme des vices à réprimer sévèrement les gestes de masturbation par lesquels l'enfant se procure du plaisir ? Au cours de cette première phase génitale du développement, ne s'indigne-t-on pas de constater que les enfants des deux sexes prennent beaucoup de plaisir à des exhibitions et à des attouchements mutuels qui n'ont à la vérité rien de préjudiciable au développement ?

Ici comme en d'autres domaines, l'éducateur se doit de ne pas réprimer brutalement, mais seulement de chercher, quand il y a excès, à dériver ces activités érotiques vers d'autres buts. Il faut en effet reconnaître que, s'il est normal que dans les débuts de la vie prédomine l'auto-érotisme, par contre, au fur et à mesure que l'enfant grandit, cette préoccupation voluptueuse de son propre corps doit faire place à l'intérêt pour autrui ; et l'on ne doit pas hésiter à considérer les jeux entre garçons et filles comme préférables à la masturbation solitaire. L'auto-érotisme doit en effet céder le pas vers 3-4 ans à la sexualité, c'est-à-dire à un intérêt particulier pour les personnes de l'autre sexe.

On sait qu'une des conceptions les plus originales de *Freud* est d'avoir vu dans le drame antique d'Œdipe — amené par un destin fatal à tuer son père et à épouser sa mère, puis, la vérité lui étant révélée, à se punir en se crevant les yeux — d'avoir vu, disons-nous, dans ce drame le prototype, porté à l'extrême dans la tragédie grecque, de toutes les situations filiales. Tout enfant, dès que sa sexualité s'éveille, est amoureux du parent de l'autre sexe et désire éliminer le parent de même sexe pour prendre sa place. On sait que *Freud* a appelé cette situation le *complexe d'Œdipe*, et qu'il l'a considérée comme responsable de la plupart des névroses, celles-ci exprimant le conflit violent qui oppose souvent la censure du Moi aux pulsions œdipiennes.

Mais il faut remarquer que cette situation est à un certain degré normale et qu'elle est le lot de tous les enfants sans exception. Nous serons donc conduits à opposer la *situation œdipienne* du sujet normal, que nous décrirons maintenant, et le *complexe d'Œdipe* du névrosé, dont il sera traité au Livre II.

1. SITUATION ŒDIPIENNE

A ceux qui seraient portés à mettre en doute l'apparition précoce de la vie sexuelle et des sentiments œdipiens, l'on ne peut que conseiller d'observer sans prévention ce qui se passe dans l'intimité des familles.

Il est d'observation courante que le petit garçon voudrait avoir sa mère pour lui tout seul. La présence de son père le contrarie et, lorsque celui-ci prodigue à la mère des marques de tendresse, le garçon est jaloux et se glisse entre les deux. Il ne cache pas sa joie lorsque son père est absent et qu'il peut rester seul avec sa mère. Il exprime souvent tout haut ses sentiments et dit à sa mère qu'il veut se marier avec elle. Ajoutons, ce qui souligne la nature sexuelle de ces sentiments, que le petit garçon manifeste à l'égard de sa mère une curiosité érotique à peine déguisée; il insiste pour dormir tout contre elle; il veut assister à sa toilette; il lui soulève les jupes et il peut montrer quand elle l'embrasse ou le caresse des signes visibles d'excitation sexuelle. Réciproquement, la petite fille déclare son amour à son père, veut écarter sa mère et, pour y parvenir, cherche de bonne heure à développer par la coquetterie ses moyens de séduction.

Les exemples en abondent. Un petit garçon déclare : *Bientôt je serai grand; mon papa mourra et j'épouserai ma petite maman.* Un autre, qui avait manifesté à l'égard de sa mère une très précoce curiosité sexuelle disait plus tard : *Pourquoi mon père couche-t-il avec ma mère? Pourquoi pas moi?*

Conversation à table d'une petite fille de 6 ans : *Je veux me marier avec toi*, dit-elle à son papa; mais celui-ci rétorque : *Non! moi, je suis déjà marié avec maman. Mais on peut se marier deux fois*, réplique la fillette. *Non*, dit le papa, *on ne peut avoir qu'une femme, et la mienne c'est maman.* Alors la fillette : *Maman elle est morte.* Et comme le papa, regardant sa femme, a un sourire ironique à l'adresse de la fillette, celle-ci ajoute : *Cette dame-là, ce n'est pas maman, c'est une autre dame.*

La curiosité sexuelle s'éveille de bonne heure, souvent dès la seconde année. Elle se manifeste, nous l'avons dit, pour le corps humain, ce qui explique le *voyeurisme* si fréquent chez les petits : désir d'assister à la toilette et aux besoins intimes des parents afin de les voir nus; désir de savoir comment sont faits différemment les filles et les garçons, s'accompagnant bien entendu d'attouchements mutuels, puisqu'à cet âge, on le sait, voir, c'est toucher. La contrepartie nécessaire de ce voyeurisme, c'est l'*exhibitionnisme*, et chacun sait combien les enfants aiment se montrer nus les uns aux autres.

Quand l'enfant grandit, vers ses 3-4 ans, sa curiosité se porte aussi sur le *problème des origines* : il désire savoir d'où vient l'homme, comment il s'est formé, et aussi ce qu'il y a dans l'intérieur du corps humain. Toutes ces curiosités sont substitutives de la curiosité fondamentale qui est relative à la naissance des bébés et à ce que font ensemble les parents pour avoir un bébé. C'est l'âge des « pourquoi ? » où l'enfant répète sans cesse sa demande, parce que celle-ci n'ose aborder en face le problème essentiel, et que par conséquent la réponse n'est jamais tout à fait satisfaisante.

Plus l'enfant est jeune, plus il est porté à exprimer librement ses sentiments œdipiens, tout de même qu'il se met nu sans aucune pudeur devant les autres, on l'a vu; mais au fur et à mesure que le développement des défenses du Moi vient contrôler les pulsions, il nous faut de moins en moins nous attendre à des formulations aussi naïves, aussi directes. Mais c'est ici que le rôle des éducateurs est important, car il dépendra d'eux pour la plus large part que l'enfant refoule complètement ses sentiments œdipiens et ne les manifeste plus du tout, ou bien qu'il les *sublime* suivant le mécanisme que nous avons étudié un peu plus haut. On a vu que la sublimation comporte une part de satisfaction directe, une part de répression et une part de déplacement. Par satisfaction directe, il faut entendre ici l'expression *à la fois verbale et gestuelle* de l'amour et de l'agressivité, c'est-à-dire la possibilité pour l'enfant d'exprimer ses sentiments à l'égard du père et de la mère, la possibilité même d'assouvir à l'occasion par gestes tendres ou agressifs ses désirs œdipiens sans que la famille l'en reprenne sévèrement. La répression, il la fera de lui-même, de façon partielle, en se retenant, quand les parents lui diront de façon franche ce qu'il en est. Le déplacement de l'énergie sexuelle vers d'autres secteurs d'activité est rendu relativement facile par le fait que, comme on l'a vu, cette énergie sexuelle représente le trop-plein de la surabondance vitale, et que ce trop-plein peut se déverser dans toutes les directions qu'on voudra, vu la plasticité originelle de la force vitale.

Ainsi il est bien connu que la sexualité de l'enfant et de l'adolescent peut se dériver vers des activités physiques, par exemple de type sportif, et qu'il est d'une saine méthode éducative de favoriser une telle dérivation. Dans un autre domaine, on sait également que l'énergie sexuelle peut, par déplacement, alimenter des activités culturelles.

Il peut se produire aussi un déplacement de la pulsion vers un autre objet. Il est fréquent que les désirs œdipiens se transfèrent des parents sur la fratrie, qu'un garçon soit par exemple amoureux de sa sœur, ou une fille de son frère, surtout quand une assez grande différence d'âge facilite l'identification de cette sœur ou de ce frère aux parents. Il ne paraît pas douteux également qu'entre frères et sœurs, les jeux « interdits » (qu'on aurait tort d'interdire avec trop de sévérité) sont souvent l'exutoire nécessaire de la sexualité œdipienne. Remarquons ici qu'un tel déplacement n'est pas possible aux enfants uniques, et c'est une des raisons de l'intensité plus grande des sentiments œdipiens chez ceux-ci.

Cependant la véritable sublimation consiste surtout dans une transmutation du désir amoureux en pure tendresse, et de la jalousie agressive en esprit de compétition avec identification au parent rival.

Cette identification est un facteur décisif dans la maturation de l'enfant. En effet, celui-ci, par l'identification, se hausse au niveau du parent estimé et admiré pour sa valeur et pour sa force, et qui constitue de ce fait un modèle, ce que les psychanalystes appellent, on l'a vu, un *idéal du Moi* ou un *Surmoi*.

L'évolution normale exige ce *dépassement de l'Œdipe*, et il faut pour cela que les sentiments œdipiens ne soient pas frappés d'interdit par la censure du Moi, mais tout au contraire intégrés à la personnalité de l'enfant sous une forme culturellement acceptable.

Surmoi. Le Surmoi, dont nous avons déjà signalé le rôle, est une instance de la personnalité qui se consolide au moment de la résolution œdipienne. Cette instance résulte, comme on l'a vu, de l'identification au parent rival, qui se réalise par une introjection de ce que celui-ci représente, tout à la fois de ses *idéaux* et de ses *interdits*, de ce qu'il permet et de ce qu'il défend. Avant la résolution œdipienne, l'autorité des parents s'exerçait de l'extérieur, tandis qu'après, introjectée, elle devient partie intégrante de la personnalité de l'enfant et lui dicte de l'intérieur ce qui est bien et ce qui est mal. Il en résulte une conséquence très importante, c'est que l'enfant au premier stade n'éprouve l'angoisse de mal faire que s'il est vu et grondé, tandis qu'au second stade à chaque action mauvaise il éprouve un sentiment intérieur pénible de culpabilité.

A l'état normal, le Surmoi est, on l'a vu, étroitement solidaire du Moi, porte-parole du principe de réalité, et on ne peut les distinguer l'un de l'autre. Cela nous explique, comme nous l'avons dit déjà, d'où le Moi tire son pouvoir, comment il peut parvenir à contenir les instincts, à les contraindre à se sublimer, alors que ceux-ci disposent bien plus que lui de toute la force vitale.

Le Surmoi ne se constitue pas en un jour. L'introjection du parent rival au cours de la résolution œdipienne ne se réalise que progressivement, se parachevant peu à peu, et est à peu près constituée vers l'âge de 6 ans, vers l'*âge* dit *de raison,* où l'enfant a acquis une autonomie suffisante pour pouvoir se passer du soutien parental. Alors que jusque-là son estime de soi était entièrement sous la dépendance de l'estime qu'avaient pour lui ses parents, à partir de ce moment elle va dépendre de la manière dont sa conduite satisfait aux exigences du Surmoi. Il en résulte *une conséquence éducative importante : c'est qu'en cas de faute, avant la constitution du Surmoi, la punition visait à obtenir par conditionnement et dressage le comportement souhaité, tandis qu'avec le Surmoi la punition peut faire appel aux normes de conduite admises par l'enfant et à son sentiment de culpabilité.* Par exemple, nous avons vu que l'enfant acquiert la propreté sphinctérienne par amour pour sa mère; si la présence de celle-ci vient à lui manquer, il est possible qu'il redevienne sale. Par contre, une fois le Surmoi constitué, l'enfant sera propre de lui-même par obéissance à la règle intérieure et détestera se souiller (cf. L. III, ch. 4, Psychologie de la punition).

2. AMBIVALENCE ŒDIPIENNE. L'ŒDIPE POSITIF ET L'ŒDIPE INVERSÉ

Il serait abusif de prétendre que les sentiments œdipiens ont la simplicité schématique que nous avons décrite : c'est-à-dire amour pour le parent de sexe opposé et hostilité pour le parent de même sexe. La réalité est bien plus nuancée et nous conduit à admettre l'*ambivalence* des sentiments que les enfants portent à leurs parents.

Ainsi, il n'est pas vrai que le garçon soit toujours et sans restriction hostile à son père et amoureux de sa mère; car il a également pour son père des sentiments d'admiration et d'affection, lesquels entrent en lutte avec l'hostilité; et de même il est normal que, par suite des frustrations imposées par la mère, le garçon développe parfois contre celle-ci une certaine agressivité.

De son côté la fille n'est pas tout uniment hostile à sa mère et amoureuse de son père; elle a aussi pour sa mère des sentiments de tendresse qui datent de l'époque du nourrissage et elle se trouve par là très partagée; d'autre part il advient assez souvent que, frustrée par son père, elle adopte à son endroit une certaine hostilité distante.

Il arrive parfois que le renversement soit total, les sentiments œdipiens premiers cédant la place à leurs contraires, réalisant ce qu'on appelle l'*Œdipe inversé*; nous en verrons l'importance en pathologie.

Mais dans les conditions normales, il y a le plus souvent *ambivalence*, c'est-à-dire *coexistence des sentiments opposés*. Cette ambivalence, nous avons quelque peine à la comprendre, nous adultes, parce que notre Moi a acquis des exigences particulières d'unité et se refuse à admettre que le cœur humain puisse être habité en même temps par l'amour et la haine. Il en est pourtant bien ainsi chez l'enfant, et nous devons faire remarquer que cette ambivalence introduit dans la personnalité un jeu beaucoup plus souple que la situation très tranchée de l'Œdipe positif.

En premier lieu, il est à noter que les sentiments contraires se tempèrent l'un l'autre, et qu'en particulier l'amour, en modérant l'hostilité, empêche celle-ci d'atteindre à une trop grande intensité. Par exemple, le fils qui admire et aime son père aura de ce fait une moins grande agressivité œdipienne à son égard et ne désirera pas autant son élimination.

En second lieu, en cas de frustration importante suscitant chez l'enfant une poussée d'agressivité, si cette frustration émane du parent de l'autre sexe, l'hostilité qui se déploie alors contre celui-ci, se joignant à l'hostilité œdipienne contre le parent de même sexe, pourrait créer chez l'enfant une situation de haine difficilement tolérable puisqu'il serait conduit à détester ses deux parents; l'ambivalence permet en pareil cas au sujet d'intensifier son affection pour le parent de même sexe, ce qui compense. Par exemple une fille qui, gravement déçue dans son affection pour son père, en vient à prendre celui-ci en aversion, pourra, à la faveur de l'ambivalence, intensifier sa tendresse ancienne pour sa mère et maintenir par-là sa faculté d'aimer.

Ainsi donc, quand le comportement d'un enfant vis-à-vis de ses parents est tel qu'on serait porté à mettre en doute chez lui la réalité de la situation œdipienne classique — quand un fils se montre tout particulièrement attaché à son père, ou une fille à sa mère — au lieu d'en conclure que la conception freudienne est fausse, on sera amené à rechercher quelle a été la grave frustration infligée à cet enfant par le parent de l'autre sexe, frustration qui l'a conduit à inverser ses sentiments.

L'exigence d'unité qui caractérise le Moi, et qui s'affirme d'autant plus que l'enfant est plus grand, va tendre toutefois à simplifier les sentiments en refoulant dans l'inconscient ceux qui ne sont pas en accord avec l'exigence majeure du sexe et avec l'idéal du Moi. De sorte qu'à la limite, dans le cas particulier des sentiments de l'Œdipe inversé, il faut considérer que les sentiments primitifs de l'Œdipe positif n'ont pas disparu, mais ont été refoulés et pourront se manifester à nouveau si le refoulement vient à cesser. Par exemple une de nos jeunes patientes était extrêmement chargée d'agressivité contre son père qui s'était montré à son égard très frustrant, mais quand d'aventure celui-ci faisait preuve de quelque gentillesse, elle se retrouvait dans une relation tendre avec lui comme aux premiers jours, extériorisant alors son amour refoulé.

Les éducateurs doivent être très attentifs à cette complexité de sentiments chez les enfants. Selon les principes reçus dans beaucoup de familles, on voudrait que toutes les attitudes d'un enfant soient conformes à l'idée qu'on se fait de son sexe, qu'il soit garçon ou qu'il soit fille, mais non un hybride des deux. Or cette rigidité réserve bien des mécomptes. On doit en effet *reconnaître chez tout être une certaine bisexualité originelle : tout homme a en lui une composante féminine, et toute femme a une composante masculine.* Mais la structure anatomique native, et par la suite l'éducation déterminent ce que sera le sexe dominant, rejetant la dominante contraire au second plan sans toutefois l'éliminer complètement. On peut donc comprendre par là que certaines circonstances éducatives puissent faire prévaloir les sentiments et les attitudes de l'Œdipe inversé, faire qu'un garçon se comporte comme une fille ou bien une fille comme un garçon ; l'attrait affectif qu'ils montrent alors pour le parent de même sexe se traduit par un fort penchant homosexuel. Il ne paraît pas douteux que beaucoup de cas d'homosexualité franche de l'adulte aient cela pour origine. On ne doit cependant pas conclure *ipso facto* à un état pathologique, car l'expérience montre que les sentiments de l'Œdipe inversé peuvent par la seule évolution de la croissance se normaliser par la suite. L'on ne devra donc pas s'en inquiéter, mais bien plutôt tenter de rétablir par les influences éducatives l'équilibre de la personnalité, en faisant prévaloir les aptitudes viriles chez le garçon, les aptitudes féminines chez la fille, de façon que l'un et l'autre puissent aborder cette période cruciale qu'est la puberté dans une orientation conforme à leur sexe dominant.

3. LE RÔLE DES ÉDUCATEURS

On admet depuis *Freud* — mais cela n'a-t-il pas été de tout temps évident pour qui sait observer l'enfance sans prévention — que l'éveil de la sexualité chez l'enfant, puis chez l'adolescent, est un phénomène naturel, exprimant tout à la fois le développement des organes chargés d'assumer cette nouvelle fonction et, comme on l'a vu, la surabondance des forces vitales dans les périodes où la croissance n'absorbe pas intégralement celles-ci.

Le rôle des éducateurs doit donc être de reconnaître la fonction sexuelle comme primordiale et de lui faire sa juste place dans le développement de la personnalité enfantine. Lui faire sa place, c'est-à-dire l'aider à se maintenir dans une juste mesure, faire qu'elle se manifeste sans problème grave, que la situation œdipienne puisse se dérouler sans trop de heurts, et que l'Œdipe puisse être normalement dépassé. Dans ce but, il faut *éviter tant d'exciter la sexualité que de l'inhiber.*

Une excitation anormale draine en effet vers la sexualité des forces qui doivent être employées ailleurs, et l'on sait bien que l'enfant trop excité sexuellement, qui par exemple pratique exagérément la masturbation, n'est plus guère disponible pour d'autres tâches, en particulier à l'école, où il se montre distrait et turbulent, au grand dam de ses études.

Il faut donc veiller en premier lieu à la *bonne hygiène physique* de l'enfant : nourriture saine, sans abondance inutile, sans excès de viande, ni d'épices, sans alcool sous quelque forme que ce soit; sommeil suffisant, sans excès et surtout sans séjour prolongé au lit après le réveil; exercices physiques au grand air pour dériver la surabondance des forces expansives et fortifier le corps; pas de tendresse excessive, ni de caresses trop amollissantes.

En second lieu, il faut veiller aussi à la *bonne hygiène morale*, en soustrayant l'enfant à tout ce qui peut exciter *artificiellement* sa sexualité, fonction naturelle, encore une fois, mais qu'il importe de laisser se développer selon son mode propre, ce qui veut dire qu'il faut éviter tout ce qui, lectures, images ou spectacles, peut éveiller l'enfant à des expériences qu'il n'a pas encore faites de lui-même; qu'il faut à plus forte raison s'abstenir de toute séduction sexuelle, par caresses ou autrement; qu'il faut en outre prendre garde à ce qu'il ne soit pas exposé à des désirs trop forts, tels par exemple que ceux qui peuvent résulter de la vue des rapports intimes dans la chambre des parents. Il faut savoir à ce propos qu'une forte excitation sexuelle, loin de procurer du plaisir à l'enfant, peut tout au contraire lui causer de l'angoisse, l'angoisse du Moi qui est débordé par les pulsions et ne peut plus s'en rendre maître.

Dans le même sens, il faut se garder de trop exciter les sentiments œdipiens. On a vu que les frustrations excessives peuvent exalter l'agressivité et conduire l'enfant à haïr avec une telle force le parent frustrant que cette haine ne peut plus être compensée par l'amour, selon le processus normal que nous avons décrit plus haut. Réciproquement une tendresse excessive de la part des parents risque de développer exclusivement l'amour, sans le contrepoids nécessaire d'une certaine agressivité; ainsi en est-il souvent chez les enfants qu'on « gâte » exagérément, qui sont en quelque sorte par là « émasculés » de leur agressivité et ne peuvent accéder à l'autonomie; par exemple un père trop débonnaire et trop tendre avec son fils empêchera celui-ci de développer sa virilité par la rivalité œdipienne.

Inhiber la fonction sexuelle naissante est, en sens inverse, tout aussi préjudiciable au développement. Il convient donc de ne pas réprimer brutalement les premières manifestations sexuelles de l'enfant : ni ses jeux auto-érotiques de masturbation, ni ses jeux hétéro-sexuels avec les frères et sœurs ou avec les camarades. Rien n'est plus dangereux en cette matière que l'interdit systématique, comme nous le montrerons en étudiant les situations pathologiques.

Il faut se garder aussi de réprimer la *curiosité* de l'enfant à l'égard des choses sexuelles, de même que l'expression de ses sentiments œdipiens. La plus entière franchise et la plus grande tolérance sont ici de rigueur. Car d'exprimer ses sentiments libère l'enfant et lui permet par là de les sublimer plus aisément. Interdire les manifestations de tendresse est tout aussi préjudiciable que d'interdire l'agressivité, puisque nous avons vu que les deux tendances sont nécessaires et se socialisent en se tempérant l'une l'autre.

Nous aurons à examiner dans un chapitre ultérieur le rôle de l'inconscient des parents dans l'éducation. Disons seulement ici que, dans la mesure exacte où les parents ont une sexualité harmonieuse, ils pourront accepter sans honte l'éveil de la sexualité chez l'enfant et auront par conséquent vis-à-vis de ce problème une attitude éducative juste.

4. LE DÉPASSEMENT DE L'ŒDIPE ET LA PHASE DE LATENCE

A l'état normal, on l'a vu, la frustration des désirs œdipiens amène l'enfant, par le mécanisme de sublimation, à « désexualiser » en quelque sorte sa vie instinctive. En effet, une fois passés les orages pulsionnels de l'enfance, à la faveur aussi d'un renforcement progressif de l'autorité du Moi, il s'instaure dès l'âge de 6 ans une phase nouvelle que les psychanalystes appellent *la phase de latence*, de par le fait que les pulsions sexuelles et agressives diminuent beaucoup d'intensité et peuvent par là se sublimer. Comme on l'a vu, c'est ainsi que l'Œdipe se résout : l'attrait sexuel pour le parent de l'autre sexe se sublime en affection tendre, et l'agressivité envers le parent de même sexe se sublime en esprit de compétition à la faveur d'une identification. Comme nous l'avons dit, le caractère particulier du processus de sublimation, c'est que les forces vives des instincts sont sauvegardées et se transfèrent par déplacement dans d'autres domaines, notamment le domaine des activités culturelles et celui des activités sportives.

Nous venons de parler de « frustration des désirs œdipiens ». Cela met en cause bien entendu la force du Moi, notamment son degré de tolérance à la frustration, lequel s'est manifesté déjà aux stades antérieurs, à l'époque du sevrage, de l'éducation à la propreté et d'une manière plus générale de l'affrontement à toutes les exigences éducatives. C'est précisément chez les enfants présentant une certaine intolérance aux frustrations que le dépassement de l'Œdipe ne peut se réaliser comme il faut.

Cette phase de latence — qu'on appelait jadis *l'âge de raison*, ce qui se comprend de soi — dure de 6 à 11 ans. Elle cède alors la place aux phases pré-pubertaire et pubertaire.

5. LA PUBERTÉ

La dernière phase importante du développement psycho-physiologique sexuel est la *puberté*. De par le fait que la croissance du corps se ralentit, il y a, comme nous l'avons dit, de plus en plus de forces vitales disponibles pour cette fonction, dans une certaine mesure fonction de luxe, qu'est la sexualité. Les organes sexuels, en sommeil durant la phase de latence, se réveillent alors et acquièrent en quelques années leur structure adulte; parallèlement l'instinct sexuel accède à la maturité, ce qui se traduit dans le sexe masculin par la production de sperme, et dans le sexe féminin par les premières règles, contemporaines des premières ovulations.

En même temps la morphologie du corps se transforme. Outre que dans les deux sexes, l'allongement de la taille s'accompagne d'une plus grande différenciation des formes, il se produit des modifications caractéristiques des sexes. Chez la jeune fille, le tronc se développe plus que les membres, particulièrement de par l'élargissement du ventre et du bassin. Chez le jeune homme, le tronc s'élargit dans sa partie thoracique, et les membres acquièrent un développement prépondérant, corrélatif d'une musculature plus puissante. Cela est toutefois un peu trop schématique, car, comme nous l'avons dit, il intervient souvent chez le jeune homme comme chez la jeune fille une composante de l'autre sexe, qui a pour résultat que d'une manière plus ou moins passagère, l'adolescence peut se marquer par quelques traits morphologiques féminins chez le jeune homme, et masculins chez la jeune fille, jusqu'au jour où chacun d'eux, par le mouvement même de la vie en avant, se normalise dans son sexe dominant.

La puberté morpho-physiologique s'accompagne d'une puberté psychologique qui réside essentiellement dans la reviviscence des attraits amoureux. Si l'évolution a été jusque-là normale, si par conséquent il y a eu dépassement de l'Œdipe, comme nous l'avons dit, ces attraits amoureux ne reprendront pas le chemin interdit des pulsions œdipiennes, mais suivront des voies nouvelles par déplacement des désirs sur des personnes étrangères au milieu familial, avec cette conséquence que ces nouvelles voies étant permises, il n'en résultera aucun trouble ultérieur dans les fonctions sexuelles.

Cela est bien entendu trop schématique. Comme on l'a vu, le processus de sublimation ne s'effectue jamais intégralement, et les conflits sont inévitables entre les pulsions instinctives qui aspirent à se réaliser et le Moi avec ses mécanismes de défense, qui s'y oppose.

On pourrait être tenté de croire que la condition normale

est celle d'une personnalité d'adolescent dont le Moi possède assez de force pour maîtriser l'instinct en empêchant toute manifestation qui ne s'inscrit pas dans le cadre de ce qui est permis. Mais nous nous devons de rappeler à ce propos ce que nous avons dit déjà : que l'état normal réside essentiellement dans un équilibre souple, qui laisse un certain « jeu » dans les différentes fonctions. Un Moi d'adolescent qui serait suffisamment fort pour inhiber complètement l'activité instinctive serait *un Moi rigide*, et il y aurait alors un risque certain de voir se paralyser toute la spontanéité vitale créatrice. Plus favorable est une situation de conflit entre le Moi et la vie instinctive, l'un et l'autre s'assurant tour à tour la prééminence. Certes cela se traduit par un comportement qui souvent déconcerte les adultes; il y a par exemple fréquemment chez les adolescents un contraste singulier entre leurs prises de position idéalistes ou rationalisantes, impliquant un processus de sublimation très accusé, et leur laisser-aller instinctif grossier; mais encore une fois, de tels contrastes sont nécessaires au dynamisme mouvant de la personnalité adolescente en devenir. De même, les conflits qui se produisent entre l'adolescent et son milieu familial sont plus conformes à une évolution normale que l'absence de tout conflit, car ils indiquent une personnalité vigoureuse qui affirme son autonomie en s'opposant, et l'on peut présumer que plus tard, la révolte passera tandis que la force du Moi qui l'a suscitée, elle, demeurera, constituant le plus sûr garant d'une personnalité adulte saine.

CHAPITRE IV

CONFLITS ET NÉVROSES

I. LES CONFLITS DE L'ÂME ENFANTINE

Nous avons déjà dénoncé l'illusion de ceux qui pensent pouvoir caractériser l'état normal par l'absence de conflit, par un équilibre idéal et jamais remis en question des diverses instances de la personnalité, par une adaptation sans défaillance au milieu où l'on est appelé à vivre.

Le conflit, avons-nous dit, appartient au dynamisme de l'être vivant et, sans conflit, il n'y aurait pas l'élan, pas de progrès, pas de création.

C'est dire que « l'enfant sage comme une image » est une utopie. Davantage, lorsqu'on rencontre des sujets qui réalisent cet « idéal » d'enfants parfaitement accordés aux règles en vigueur, à l'école comme à la maison, en un mot d'enfants sans aucun « problème », on ne doit pas hésiter à les regarder, en dépit de toutes les apparences, comme étant dans une situation anormale, et l'on est en droit de craindre qu'ils ne soient plus que les autres exposés ultérieurement à des désordres nerveux.

Nous l'avons dit déjà et nous le répétons. *Ce qui caractérise le sujet normal, ce n'est pas qu'il est sans conflit ; c'est qu'il parvient à donner à ses conflits une solution dans le sens d'un progrès en avant tandis que chez le névrotique le conflit aboutit à un blocage et stoppe toute évolution.*

Les conflits de l'enfance, on l'a vu, sont de deux ordres : les uns sont extérieurs, les autres intérieurs.

Les *conflits extérieurs* opposent l'enfant à son environnement, principalement, bien entendu à son milieu familial. Ils apparaissent avec l'expansion active, dans l'exacte mesure où le désir d'indépendance de l'enfant se heurte à la volonté des parents de le maintenir sous leur dépendance : l'enfant apprend donc de bonne heure à s'opposer, à dire « non ». Dans la mesure où l'éducateur se montre tolérant et consent au besoin d'autonomie de l'enfant, le conflit n'est jamais très aigu et peut se résoudre par un compromis, sans qu'il y ait blocage.

Certains enfants sont particulièrement opposants à ce qu'on veut leur faire faire; on les appelle enfants têtus, enfants difficiles, caractériels. C'est bien entendu à l'éducateur qu'il appartient en pareil cas de ne pas aggraver le conflit, de ne pas le rendre insoluble par l'adoption d'une attitude trop rigide.

Il advient en sens inverse qu'on pense échapper à de tels conflits en cédant toujours à l'enfant, en le « gâtant ». Mais qu'on ne s'y trompe pas; une telle attitude offre l'inconvénient grave de favoriser la dépendance de l'enfant et de l'empêcher ainsi de développer comme il faut son autonomie. Et l'on aboutit alors à cette conséquence curieuse que gâter un enfant, c'est d'une certaine manière le frustrer.

Les *conflits intérieurs* opposent l'enfant à lui-même, c'est-à-dire son Moi aux pulsions du Soi. Il est des enfants qui n'ont pas de conflit parce qu'ils obéissent entièrement à leurs pulsions : ce sont les déséquilibrés impulsifs, dont les actes peuvent être dangereux. D'autres, à l'opposé, n'ont pas de conflit parce que leur Moi s'est rendu complètement maître des pulsions : ce sont les enfants « trop sages » dont nous avons parlé plus haut.

Entre ces cas extrêmes se situent la grande majorité des enfants, qui ne conquièrent leur équilibre que petit à petit, à la faveur des conflits qui opposent leur Moi et leur vie instinctive.

On a vu aussi que, dans la mesure où l'autorité parentale s'introjecte dans la personnalité de l'enfant, constituant le Surmoi, les conflits extérieurs peuvent devenir intérieurs. Ainsi nous avons montré que l'éducation à la propreté sphinctérienne est souvent source de conflits : d'abord entre la maman et le bébé, puis plus tard, quand la formation réactionnelle contre l'analité s'est établie, dans l'intérieur même de l'être. Voici par exemple un petit garçon qui a, comme il est fréquent, manifesté au début son refus par la constipation; mais vers ses 4 ans, ayant introjecté le désir de la mère, il va de lui-même sur le vase et dit : « Je dois faire caca; je veux faire caca » ayant donc fait de nécessité vertu, comme on dit.

L'Œdipe débute, lui aussi, par des conflits extérieurs, et tout particulièrement par l'agressivité qui dresse l'enfant contre le parent de même sexe, créant une situation traumatisante qui suscite la crainte du talion. Mais on a vu que le conflit est également intérieur dans l'exacte mesure où l'ambivalence des sentiments œdipiens fait que l'enfant est en lutte avec lui-même, et plus tard, par suite de l'introjection de l'autorité parentale, avec le Surmoi.

Il nous faut parler aussi, vu leur fréquence, des *conflits de rivalité fraternelle.*

Conflits extérieurs bien entendu, du fait que l'enfant est jaloux de son frère, de son rival dans la possession des parents, et qu'il cherche à l'éliminer ou à tout le moins à le repousser pour prendre sa place. Nous avons donné une importance toute particulière à l'opposition qui existe entre la rivalité de corps à corps et la rivalité de rejet [1].

La rivalité de rejet se marque par une complète indifférence à l'égard du rival, dont on ignore ou feint d'ignorer l'existence. Par contre la rivalité de corps à corps s'exprime par des batailles ouvertes; elle est en général beaucoup plus censurée par les éducateurs que la première; on craint en effet que les coups puissent provoquer des blessures, et l'on sépare, et l'on punit les combattants. A tort selon nous, car la rivalité de corps à corps exprime un contact affectif avec le rival qui est bien moins dommageable pour leurs relations ultérieures que le rejet dû à l'indifférence. Il faut dire que, hormis certaines circonstances où quelque maladresse éducative a exalté l'agressivité des partenaires, les batailles ont rarement des conséquences graves. Plusieurs raisons se conjuguent pour qu'il en soit ainsi : la faiblesse de l'enfant, qui ne lui permet pas de porter des coups violents et qui ne met pas non plus à sa disposition d'arme dangereuse (sauf bien entendu incurie des parents); l'intervention opportune des adultes arrêtant à un moment donné la bataille; le sentiment de culpabilité de l'enfant devant une action qu'il sait répréhensible; enfin l'instinct de sympathie qui fait le plus souvent épargner le rival, compagnon habituel de jeu (les parents ne soulignent-ils pas en parlant de leurs enfants « qu'ils ne cessent de se disputer mais ne peuvent se passer l'un de

[1] Cf. *Psychopathologie de la rivalité fraternelle* (Dessart).

l'autre »). Nous voyons ici intervenir deux fois le conflit intérieur : conflit de l'agressivité et du Surmoi (culpabilité); conflit aussi entre les pulsions agressive et amoureuse qui, de même que dans l'Œdipe, se tempèrent l'une l'autre.

La rivalité fraternelle nous donne un excellent exemple de l'utilité des conflits pour la formation de la personnalité. Dans la compétition sociale qui mettra constamment en œuvre une « agressivité plus ou moins sublimée », la technique — qu'on nous passe l'expression — acquise dans l'enfance par les relations fraternelles au sein d'une famille nombreuse, par le jeu mouvant des refus et des acceptations, de la domination et de la soumission, des compromis d'échanges mutuels, permettra une adaptation d'emblée que le sujet moins favorisé — par exemple l'enfant unique — devra par contre apprendre plus tard et souvent à ses dépens.

En conclusion, on doit donc regarder comme normaux les conflits de rivalité fraternelle ouverte, qui s'expriment d'une manière franche. Comme on l'a vu, ici comme dans l'Œdipe, l'amour et l'agressivité se tempèrent l'un l'autre et aboutissent à des compromis socialement acceptables, par le mécanisme de sublimation. En tenant compte de ce que nous avons dit de la nature tripartite de ce processus, les parents devront permettre aux enfants une part de satisfaction directe de leur rivalité fraternelle; une autre part sera réprimée par l'enfant lui-même, à la fois parce qu'il est retenu par sa sympathie fraternelle et parce que trop de brutalité susciterait l'intervention des éducateurs; une troisième part sera dérivée vers des buts socialement permis, et très souvent la rivalité agressive se transmuera en identification au rival, dont on obtient ainsi, pratiquement sans combat, tous les privilèges. Identification progressive quand un enfant, en rivalité avec son aîné, l'imite inconsciemment dans le dessein de prendre sa place. Identification régressive quand un enfant, en rivalité avec un tout petit, régresse à son niveau pour jouir de sa situation privilégiée. De telles identifications constituent bien entendu une solution normale aux conflits de rivalité fraternelle, dans la mesure où elles n'empêchent pas la personnalité propre du sujet de se développer, se bornant simplement à y ajouter. Nous verrons qu'elles conduisent au contraire à des situations pathologiques quand elles aboutissent à un véritable décentrement de la personnalité; ainsi par exemple quand un enfant régresse complètement et durablement à la condition d'un petit bébé, dont il n'acquiert les prérogatives qu'en abandonnant totalement les siennes.

Ici encore l'éducateur doit se donner pour règle d'*éviter tant d'exciter la rivalité fraternelle que de l'inhiber*.

Exciter la rivalité, c'est la rendre possiblement dangereuse en exaltant l'agressivité des rivaux, soit en marquant une nette préférence pour l'un d'eux en excluant l'autre de son affection; soit, ce qui revient au même, par telle ou telle remarque ou critique qui dévalorise le sujet et valorise son adversaire. On peut affirmer que la rivalité fraternelle ne conduit à des actes dangereux que dans l'exacte mesure de la maladresse éducative des parents « jetant, comme l'on dit, de l'huile sur le feu ». Le processus en cause est ici le même que dans l'Œdipe en ce sens que l'accroissement anormal de l'agressivité empêche l'action compensatrice de l'amour.

Inhiber la rivalité, c'est lui interdire de se manifester, soit en châtiant sévèrement l'enfant agressif, soit en éveillant en lui de vifs sentiments de culpabilité. Beaucoup de parents détestent la bataille (nous serons amené plus loin à examiner pourquoi) et ne peuvent admettre que les frères rivaux se donnent des coups. Comme on l'a vu, ils ont tort car, encore une fois, l'agressivité ne peut parvenir à se socialiser, à se sublimer en esprit de compétition que si elle a pu dans une certaine mesure s'assouvir directement.

Nous verrons par contre que quand cet instinct naturel est inhibé par les censures éducatives, la rivalité fraternelle peut, par le refoulement, prendre un cours souterrain et s'exprimer alors en des *formes masquées* qui constituent des états pathologiques (cf. Livre II).

2. LES ÉTATS NÉVROTIQUES MINEURS

Tout conflit *intérieur* est le germe possible d'une *névrose* dans la mesure où la pulsion réprimée par le Moi prend un cours souterrain et s'exprime non pas ouvertement, mais sous un masque qui nous empêche de la reconnaître dès l'abord, se manifestant par ce qu'on appelle des *symptômes névrotiques*. On a vu qu'avec un Moi fort, capable de sublimer les pulsions et d'en utiliser la force à des fins socialement acceptables, il ne se forme pas de symptômes névrotiques; que par contre si le Moi est faible, il réprime les pulsions avec violence, créant ainsi les conditions d'une névrose.

Comme, au cours de la croissance, le Moi ne se fortifie que peu à peu, que par ailleurs sa force subit des fluctuations suivant une foule d'influences, soit corporelles (états de santé), soit psychiques, *il y aura chez tout enfant normal des moments où les conflits se traduiront par des symptômes névrotiques*.

Par exemple la *névrose d'angoisse*, qui se manifeste par un état anxieux durable, qu'aucune cause saisissable n'explique, est très fréquente chez l'enfant, liée, comme l'a montré la psychanalyse, à ce que la cloche d'alarme du Moi, aux prises avec les pulsions, sonne sans arrêt. Ainsi un enfant très chargé d'agressivité contre un des siens et craignant de céder à la pression de cette pulsion que son Moi refoule désespérément, pourra ressentir dans son conscient non pas son désir agressif (puisque celui-ci est refoulé dans l'inconscient), mais l'angoisse qui s'y rapporte, angoisse persistante puisque le danger n'est à aucun moment écarté.

Autre exemple : les formations réactionnelles du Moi, on l'a vu, remplacent dans le conscient les tendances refoulées par les tendances exactement contraires, mais ces dernières, appelées à contrôler les premières (qui ne cessent pas d'être actives dans l'inconscient), doivent pour y parvenir exercer une contre-pression constante. Cela se traduit par la répétition incessante de gestes, qu'on appelle des *rituels*, dont le sujet est pleinement conscient, mais sans être pour autant conscient de ce qu'ils signifient, de la tendance qu'ils combattent. Il est ainsi bien des petites « manies » auxquelles les enfants sont attachés en dépit de toute raison, et qui constituent en fait des symptômes névrotiques. Par exemple un petit garçon en proie à de très forts sentiments agressifs dont il ressentait une vive culpabilité et qu'il refoulait, s'était mis à faire sans cesse le signe de croix pour conjurer ses pulsions mauvaises, mais comme, ce faisant, il attirait trop l'attention de l'entourage, il en était venu à remplacer le signe de croix par le simple geste de se toucher la poitrine, geste qu'il répétait obsessionnellement. Une petite fille, en portant une tasse, répétait continuellement « Mon Dieu! mon Dieu! », et cette interjection compensait son désir inconscient de briser la tasse, déplacement de son agressivité contre sa mère.

Névrotiques encore les tendances obsédantes au doute et au scrupule. Le *doute* est la manifestation conflictuelle par excellence, quand aucun compromis n'est possible entre les tendances contraires et que celles-ci s'imposent chacune à leur tour, ce qui fait que le sujet hésite en toute circonstance entre le pour et le contre. Le *scrupule* est le doute dans l'ordre moral; c'est un doute qui n'en finit pas quant à la valeur de l'acte qu'on a accompli et qu'on croit pouvoir réparer par un autre au sujet duquel la même question se posera.

Parmi les névroses, il faut citer aussi le domaine très vaste des *troubles psycho-somatiques*. Un enfant a mal à la tête, ou bien refuse de manger, ou bien vomit, ou bien dit ne plus voir clair, ou bien ne peut plus marcher... etc., et l'examen médical le plus attentif ne découvre à ces malaises aucune cause organique. C'est qu'ils sont alors la transposition corporelle d'un malaise psychique refoulé, le trouble corporel étant conscient, mais l'autre non. On aurait tort en pareil cas de dire — comme le font certains médecins et certains parents — que l'enfant n'a rien, que c'est du caprice ou de la simulation. Pour peu qu'on se montre plus compréhensif et qu'on ait avec l'enfant malade un entretien confiant, on pourra souvent mettre le doigt sur le primum movens des troubles et par là aider ceux-ci à disparaître. Par exemple un jeune garçon, après un week-end passé à la maison, refuse de se lever pour retourner à la pension, arguant qu'il a mal à la tête. La maman s'inquiète, pensant aussitôt au pire, à la maladie grave, à la méningite. Mais le docteur, ne trouvant par son examen aucun symptôme d'importance, s'entretient seul à seul avec le garçon et découvre chez celui-ci une crainte anxieuse mal formulée d'un certain maître d'école, laquelle était à l'origine du trouble psycho-somatique. Chez un autre garçon, une situation analogue se traduisait par des troubles de la vue, l'enfant, au moment de regagner sa pension après un congé, ayant déclaré qu'il voyait trouble. Ici encore, le déterminant était une angoisse latente à l'idée de quitter la maison, mais l'examen du spécialiste révélait une certaine myopie, ignorée jusque-là, sur laquelle l'enfant avait d'instinct cristallisé sa réaction psycho-somatique. Nous avons donné comme exemple ces deux cas relativement simples, où le trouble n'était pas profond; il est évidemment des cas beaucoup plus complexes et qui requièrent une exploration plus approfondie.

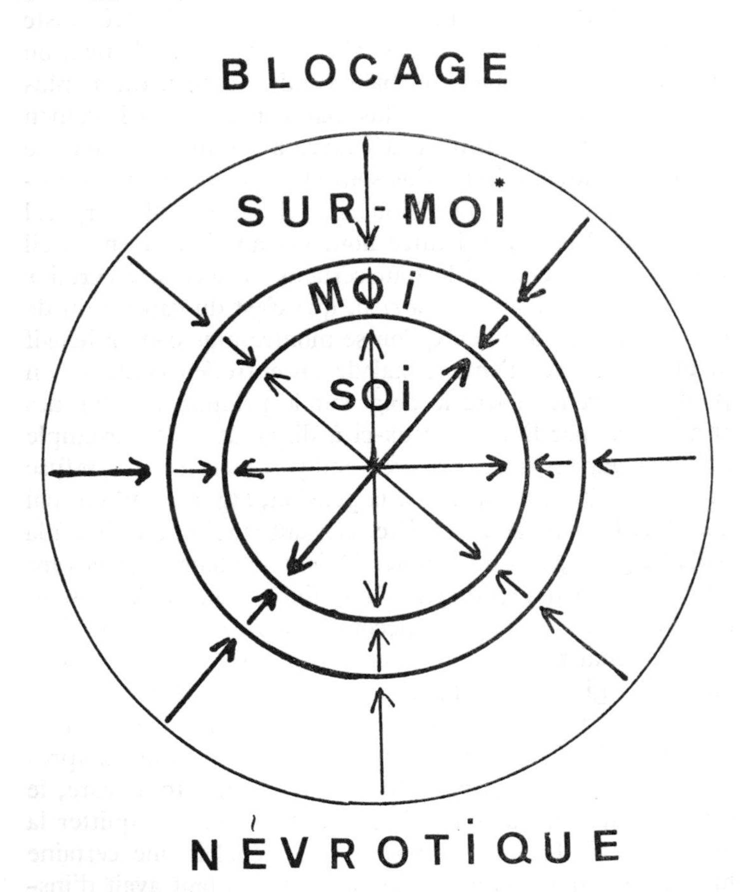

Fig. 5

Le domaine des névroses et des troubles psycho-somatiques est bien entendu un domaine pathologique. Mais — redisons-le une fois encore — *l'état normal ne se distingue pas radicalement de l'état pathologique.* Les névroses majeures

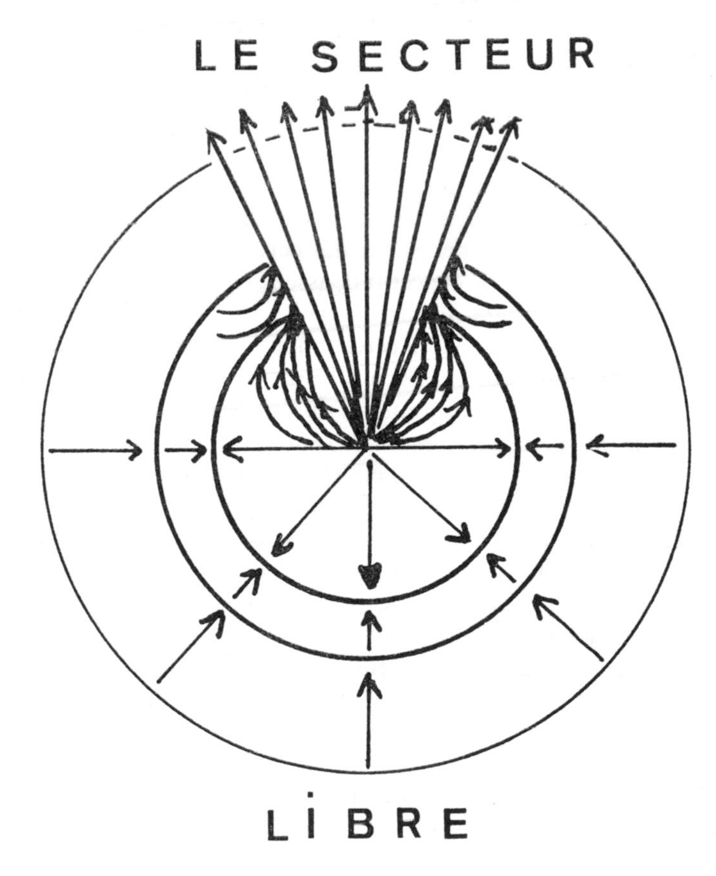

Fig. 6

— que nous étudierons — ne sont que le grossissement des troubles névrotiques mineurs décrits ici. Aussi, lorsqu'on constate de tels troubles chez un enfant, qu'ils sont peu intenses et qu'ils sont passagers, ne devra-t-on pas s'alarmer, craindre une évolution pathologique, car le mouvement en avant de la vie suffit dans la plupart des cas pour tout arranger. Comme on le verra au Livre II, on ne devra s'inquiéter que si les troubles sont intenses et persistants, c'est-à-dire s'ils bloquent l'évolution de l'enfant.

Il importe au plus haut point de pouvoir en faire la distinction. Elle repose selon nous sur la notion de *secteur libre*, que la figuration ci-jointe explique clairement. On y a représenté les diverses instances par des cercles : le Soi, domaine des pulsions, est le cercle central, assez étendu, dont le dynamisme est centrifuge (la direction des flèches); à la surface du Soi se trouve le Moi, cercle moins étendu, dont nous avons représenté par les flèches centripètes l'activité défensive contre les pulsions; autour de celui-ci un autre cercle figure le Surmoi, dont la force répressive s'exerce dans le même sens, de sorte que l'effort conjugué du Moi et du Surmoi (l'addition des deux flèches) équilibre la puissance du Soi dans un univers intérieur clos. Cette première figure représente la situation de blocage que réalise le refoulement névrotique; on y voit qu'aucune issue au-dehors n'est possible pour les forces instinctives.

La seconde figure représente par contre l'état névrotique mineur compatible avec l'adaptation. Comme on peut le voir, il y a ici un *secteur libre*, par où les forces pulsionnelles peuvent faire issue, simplement filtrées par la censure et plus ou moins sublimées (la grille du Surmoi). L'inflexion vers le haut des flèches du Moi nous montre que, bien loin de contrarier les pulsions, le Moi dans ce secteur libre les appuie. Il y aura donc ici, en dépit de l'état névrotique, possibilité pour le sujet d'utiliser sa force pulsionnelle à quelque réalisation privilégiée.

Davantage, on peut considérer que, par cette issue au-dehors, une bonne partie des forces pulsionnelles refoulées vont se précipiter, avec une intensité accrue, de par le fait que la sortie est étroite, traduisez : de par le fait que le domaine de réalisation est limité, donc concentre l'activité. La notion de secteur libre nous rend compte alors de ce fait singulier que, lorsqu'elle n'est pas inhibante, la névrose peut avoir une action dynamisante, comme on l'observe souvent chez les grands hommes.

CHAPITRE V

VIVRE PLEINEMENT SA VIE D'ENFANT

Tout l'exposé précédent nous montre que l'équilibre de la personnalité enfantine doit être un *équilibre dynamique*, par le jeu constamment mouvant des tendances instinctives et des défenses du Moi.

On ne doit jamais oublier que tendances et défenses apparaissent en même temps dans l'évolution de l'être et qu'elles ont une égale importance dans la maturation de la personnalité. Ainsi nous avons montré au début de cet ouvrage que les deux forces de vie : l'instinct d'expansion et l'instinct de conservation, se font de très bonne heure équilibre, l'un contrôlant l'autre.

Il en est de même pour toutes les forces vives de la personnalité, et l'éducateur se doit de contribuer par son action à maintenir le jeu souple des antagonismes. C'est ainsi qu'il n'est pas bon de laisser les pulsions dominer exclusivement, car cela entraîne tôt ou tard de graves conflits avec la famille et la société, conflits qui constituent des obstacles à une bonne adaptation. Il n'est pas bon non plus de laisser la défense du Moi imposer complètement ses interdits, car sous l'apparente adaptation qui se réalise alors, les forces de vie refoulées entretiennent dans l'inconscient un trouble permanent.

En conséquence, *l'éducation doit être un juste dosage de liberté et de règle*, sans que jamais ni l'une ni l'autre ne s'assure la primauté exclusive.

C'est dire encore que, sous certaines limitations, *toutes les tendances de la personnalité enfantine doivent être admises à faire entendre leur voix.* A chaque tendance correspond un rôle, et à la variété des tendances correspond la variété des rôles. *Il est indispensable en éducation de fournir à l'enfant les conditions qui lui permettent de vivre pleinement sa vie, c'est-à-dire de jouer tous les rôles qu'il a en lui.*

Il doit pouvoir vivre pleinement son expansion, fût-ce au prix d'expériences douloureuses qui lui apprendront à se régler lui-même, à se discipliner.

Il doit pouvoir vivre ses besoins sadiques-anaux sous la forme qui correspond à son âge, étant entendu qu'il faudra favoriser le plus possible les besoins substitutifs : les jeux dans la poussière, dans la boue, dans l'eau, et les barbouillages auxquels les enfants se plaisent tant. La peinture au doigt sur de larges feuilles de papier est ici une excellente sublimation, de même que les travaux en glaise ou en pâte à modeler.

Il doit pouvoir vivre son agressivité sous sa forme sauvage, et sous la forme en partie sublimée des jeux de groupe et des sports où l'on se dispute pour la première place.

Il doit pouvoir vivre sa rivalité fraternelle sous sa forme agressive, apprendre ainsi à se battre, à lutter pour défendre ses prérogatives ou son bien, à dominer les obstacles qui s'opposent à sa marche en avant, ou bien à se dérober s'il n'est pas le plus fort en adoptant une conduite de détour.

Il doit pouvoir vivre de même son besoin d'union fraternelle, s'associer aux autres, se grouper en clans, combiner des jeux, comploter des révoltes, trouver des compromis entre son hostilité et son besoin de camaraderie.

Il doit pouvoir vivre les formes premières de la relation entre les sexes, les amours enfantines souvent si touchantes dans leur expression spontanée, et dont nous ne devons pas dramatiser les conséquences, même quand il s'y adjoint des contacts physiques de nature érotique.

Il doit pouvoir vivre ses sentiments œdipiens, son amour et son agressivité dans un climat familial de liberté et de confiance, afin de pouvoir plus tard réaliser les nécessaires sublimations.

Il doit pouvoir, à l'école, réaliser très librement ses aptitudes propres, par le dessin, les activités libres, les compositions littéraires libres.

Il doit pouvoir jouer et s'exprimer dans ses jeux avec le maximum de spontanéité. De même, comme on l'a vu, on doit le laisser exprimer par ses fantasmes tout ce qu'il n'a pu vivre autrement.

Il doit pouvoir vivre aussi pleinement ses défenses. Ainsi son besoin de régression, le soir au moment du coucher, ou bien quand il est fatigué ou malade, jouer au tout petit sans qu'on le gronde ou qu'on se moque de lui. Ainsi son besoin de rêverie solitaire, s'isolant du monde qui l'a déçu et en se retirant en lui-même. Il doit pouvoir vivre le rôle de l'enfant sage qui, à l'école ou à la maison, discipline ses pulsions dans le sens d'un dynamisme constructif, l'influence des parents ou des maîtres devant ici se garder de toute inhibition, mais s'efforcer de faire jaillir de la joie des renoncements imposés, ce qui facilitera grandement le processus de sublimation.

L'essentiel est que soit sauvegardé le passage d'un rôle à un autre quand l'adaptation l'exige, donc qu'il n'y ait pas blocage dans une attitude rigide.

Qu'un enfant se comporte à l'école en distrait-absorbé dans un moment de fatigue ou pendant une leçon qui l'ennuie, cela n'a rien que de normal; mais s'il l'est constamment, et qu'aucun intérêt extérieur ne réussisse à le tirer de son rêve intérieur, cela est anormal, et l'on en pourra conclure à un conflit profond qui monopolise toute l'attention du sujet.

Qu'un enfant se batte avec ses camarades parce qu'il est en désaccord avec eux ou pour leur reprendre un objet lui appartenant, cela est normal; mais il est anormal qu'à la moindre provocation, un enfant réponde par des coups, semant la violence autour de lui et créant un climat familial insupportable.

Qu'un enfant soit « sage comme une image » pendant la leçon du maître, cela est normal; mais s'il a la même attitude pendant les récréations et qu'à peine rentré à la maison, il occupe tout son temps libre à travailler sans jamais jouer, cela est anormal.

Que dans un moment de déception ou de fatigue, un enfant se comporte en bébé et demande qu'on le traite comme tel, que cela se produise par exemple dans les jours qui suivent la naissance d'un petit frère, c'est une réaction saine; mais on est en droit de s'alarmer si une telle régression s'intensifie et se prolonge longtemps.

Une des règles d'or de l'éducation est, répétons-le, *qu'il faut concilier au mieux discipline et liberté*, en fournissant à l'enfant les conditions du plus large épanouissement possible de sa personnalité dans toutes les directions que celle-ci voudra prendre.

Double avantage. Avantage pour l'éducateur, en ce que le libre épanouissement de l'enfant va le faire accéder à la connaissance de la vie psychique profonde de celui-ci, qu'il ne saurait connaître autrement.

Avantage aussi pour l'enfant, en ce que pour que sa personnalité puisse mûrir et se réaliser pleinement, il faut qu'aucun interdit paralysant ne vienne frapper les manifestations de sa spontanéité, et qu'il lui soit toujours possible si, pour une bonne adaptation il est obligé de réprimer une de ses tendances, d'assouvir son besoin profond dans une autre direction.

LIVRE II

LE DÉVELOPPEMENT ANORMAL ET L'INADAPTATION

CHAPITRE I

CONFLITS ET FRUSTRATIONS PATHOLOGIQUES

On a vu au Livre I que le critérium d'un *développement normal* est la possibilité pour l'enfant de réaliser au mieux ses dispositions natives tout en assurant son adaptation au milieu où il est appelé à vivre, et cela en conformité avec chaque étape d'âge, suivant le progrès croissant de la maturation. Ce critérium est donc double, et l'*on qualifie de normal le sujet qui fait montre à la fois d'une bonne adaptation et de capacités productives personnelles.*

Cela ne va pas sans conflits, comme nous l'avons montré, étant donné qu'il s'agit d'un *processus dynamique*, d'un équilibre non pas stabilisé une fois pour toutes à chaque étape de la vie, mais sans cesse mouvant, fait de progressions et de régressions alternatives, de compromis entre les différentes instances de la personnalité. Mais la caractéristique essentielle de l'état normal est que ces conflits n'aboutissent jamais à un blocage et que, loin d'empêcher le développement, ils ont le plus souvent sur celui-ci une influence stimulante.

A l'opposé, il y a *développement anormal* quand l'équilibre des différentes instances de la personnalité est en défaut, ce qui engendre des conflits à sens unique, aboutissant à un blocage.

L'état normal est donc caractérisé par la souplesse, l'état pathologique par la rigidité, et nous serons amené à souligner notamment l'importance de la rigidité caractérielle et de la rigidité névrotique.

Nous ne reprendrons la description des conflits, tant extérieurs qu'intérieurs (déjà donnée au chapitre 4 du Livre I) que pour souligner en quoi ils sont ici pathologiques. On a vu que l'élément décisif est la *force du Moi*, dans la mesure où cette instance régulatrice se montre capable ou non de canaliser les forces vitales d'expansion dans des voies assurant une bonne adaptation.

Ainsi dans les *conflits extérieurs*, la faiblesse anormale du Moi a pour conséquence : d'une part que les pulsions instinctives, ne pouvant être l'objet d'une élaboration qui les socialise, se manifestent dans toute leur sauvagerie première et ne peuvent manquer de se heurter violemment aux exigences éducatives du milieu; d'autre part que l'immaturité des pulsions a tendance à fixer la personnalité de l'enfant aux premières étapes du développement ou, ce qui revient au même, à l'y faire revenir par un mouvement régressif si l'étape suivante n'a pu être franchie, le comportement du sujet restant alors infantile, c'est-à-dire ne répondant pas à ce qu'on serait en droit d'attendre de son âge.

Dans les *conflits intérieurs*, le Moi joue un rôle plus important encore, puisque c'est son opposition aux pulsions instinctives qui est à l'origine de la perturbation. On ne saurait dire pour autant que c'est un Moi fort; c'est au contraire un indice de faiblesse que d'user comme il le fait de violence et, faute d'être capable d'aménager les forces vitales au mieux de l'adaptation, de les refouler brutalement dans l'inconscient, créant par là une situation paralysante.

I. LES SYMPTÔMES

Ce qui est pathologique dans ces conflits, c'est en premier lieu *leur intensité* beaucoup plus grande qu'à l'état normal; en second lieu *leur rigidité*, qui crée des blocages dans la personnalité; en troisième lieu le fait qu'ils échappent complètement à la clairvoyance de la raison consciente, c'est-à-dire qu'ils sont *inconscients*.

De ce dernier caractère, il résulte que le comportement pathologique n'est pas motivé par des raisons logiques claires, mais apparaît comme irrationnel et au premier abord inexplicable. Autrement dit, on se trouve en présence de manifestations insolites dont le sens reste caché aussi bien à l'observateur qu'au sujet lui-même, et qu'on appelle en médecine des *symptômes*.

Il est par exemple insolite qu'un enfant de 2 ou 3 ans, à l'âge habituel du « non », en vienne à *s'opposer systématiquement à tout* ce que ses parents veulent lui faire faire et entre dans des colères violentes si l'on tente de le contraindre si peu que ce soit (conflit extérieur avec le milieu).

Il est de même insolite qu'un enfant de 6 ou 7 ans se comporte salement tout comme un bébé de 2 ans, et qu'on ne parvienne pas à lui faire acquérir des habitudes de propreté (conflit extérieur par régression).

Les conflits intérieurs peuvent se manifester par deux ordres de symptômes différents. Les uns dépendant de l'activité répressive du Moi. Un exemple fréquent est le *lavage compulsif des mains*, l'enfant répétant ce lavage un très grand nombre de fois dans la journée sans que ce geste soit justifié, encore que le sujet allègue pour l'expliquer que ses mains sont sales. La psychanalyse nous enseigne que ce symptôme est une défense du Moi contre le désir des attouchements sexuels, lequel doit être réprimé par un acte de purification sans cesse répété.

Les autres symptômes résultent de la poussée des pulsions refoulées, dont le dynamisme expansif ne saurait être détruit, on l'a vu, et qui aspirent par conséquent à se réaliser en dépit de la défense du Moi, obligées cependant par cette défense d'utiliser un travesti. Il est bien connu que toute pulsion refoulée devient volontiers obsédante, se manifestant par ce qu'on appelle des *obsessions*, idées que le Moi du sujet ne reconnaît pas pour siennes (puisqu'elles émanent de l'inconscient et par surcroît sous un travesti), et qu'il combat de toutes ses forces. Par exemple un jeune garçon est obsédé par la pensée qu'il va mourir; rien n'apaise son angoisse, pas même les affirmations rassurantes du médecin; c'est qu'en réalité ce garçon, en pleine phase œdipienne, éprouve à l'égard de son père de forts désirs d'élimination, générateurs d'une vive angoisse de culpabilité et d'une intense crainte de talion; mais tout cela est refoulé, surtout l'agressivité coupable, et ce qui émerge seulement de l'inconscient, sous la forme du symptôme obsession, c'est la crainte de mourir, qu'aucun argument raisonnable ne peut dissiper, précisément parce qu'elle a son origine dans un processus irrationnel.

2. LES CONFLITS GRAVES ET LEURS CAUSES

Nous venons de mettre en cause la faiblesse particulière du Moi dans les conflits graves qui perturbent sérieusement l'adaptation. D'où provient cette faiblesse?

Pour le savoir il faut considérer que la force du Moi est une résultante de plusieurs facteurs.

En premier lieu un *facteur inné*, qui dépend du tempérament natif de l'enfant, résultant d'un ensemble de causes que nous avons beaucoup de mal à définir exactement, mais qui se constatent à leurs effets.

En second lieu un *facteur de premier développement*, qui réside dans les « nourritures » que l'enfant a reçues dans ses toutes premières années, qui réside également dans sa première éducation, réalisant de bonne heure un équilibre plus ou moins heureux entre les forces d'expansion et les forces de conservation, comme on l'a vu au Livre I.

En troisième lieu un *facteur d'événements*, synthèse de tout ce qui arrive au sujet dans le cours de son développement, et comportant tout particulièrement les frustrations inévitables de la vie, lesquelles sont de nature, si elles sont supportées, à accroître la force du Moi, mais si elles ne le sont pas à entraîner son affaiblissement.

Si l'on considère le rapport qu'il y a entre la force du Moi et ce qu'il a à supporter, on note tout d'abord qu'il est deux cas extrêmes de troubles de l'adaptation. A un pôle, les troubles provoqués par une grande faiblesse du Moi, lequel se montre incapable de faire face à des conditions de développement pourtant normales, et en particulier incapable de supporter les frustrations les plus courantes.

A l'autre pôle, les troubles provoqués chez un sujet à Moi fort par des circonstances de vie gravement traumatisantes, par exemple des frustrations très lourdes, qu'aucun sujet de cet âge ne serait par conséquent capable de supporter.

Si nous prenons l'exemple d'une des frustrations les plus courantes dans les états pathologiques : *la séparation du bébé d'avec sa mère*, nous constatons qu'il est des petits enfants à Moi faible qui ne supportent aucune séparation, fût-elle très courte et qui réagissent par une angoisse panique — mais qu'à l'autre extrême des enfants à Moi fort, s'ils sont séparés très longtemps de leur mère, sans qu'il leur soit donné un substitut maternel valable, courent un grand risque d'en être affectivement marqués d'une façon définitive.

La majorité des situations est bien entendu intermédiaire à ces deux cas extrêmes, et l'on devra dans chaque cas s'efforcer d'apprécier le rapport qui existe entre le degré de force du Moi et la nature plus ou moins favorable du milieu.

3. LES FRUSTRATIONS GRAVES

L'enfant, on l'a vu, ne peut se maintenir indéfiniment dans le milieu de protection initial. Le progrès de la croissance exige en effet que s'élargisse peu à peu l'espace vital où l'enfant évolue, et que par là même celui-ci accède à une autonomie croissante. Dans ce sens on a vu que les frustrations inévitables de la vie, *quand elles sont supportées*, ont une influence maturante. Nous avons en même temps souligné qu'il ne saurait être question d'évaluer ces frustrations objectivement, car elles sont ressenties subjectivement par chaque enfant selon son caractère propre, en particulier selon la force de son Moi.

Il convient d'y revenir ici, car une faute très commune chez les éducateurs consiste à évaluer les frustrations avec des normes d'adultes, au lieu de se mettre à la place de l'enfant qui les subit.

Par exemple une maman qui a une raison valable de s'absenter et de confier son bébé à quelqu'un d'autre aura beaucoup de mal à comprendre que, pour un petit enfant, une mère absente est une mère méchante, autrement dit que la séparation équivaut pour la mentalité de l'enfant à un rejet; d'où des réactions possiblement agressives de l'enfant contre sa mère quand il la retrouve.

Autre exemple : une mère voit au quatrième mois de l'allaitement son lait se tarir soudainement, et le bébé, à partir de ce moment-là, se met à refuser toute nourriture au biberon, et plus tard se montrera très difficile, réaction anorexique que nous savons être dirigée contre la mère, celle-ci étant ressentie par le bébé comme agressivement frustrante à son égard, tout comme si elle lui avait *volontairement* refusé son lait.

Autre exemple : de par la naissance d'un petit frère, un enfant se trouve privé quelque temps de la présence de sa mère, et quand il la retrouve, il doit la partager avec le nouveau-né. Il arrive que ce partage soit ressenti comme insupportable, comme si l'enfant était réellement rejeté par sa mère, bien qu'en réalité ce ne soit pas le cas, et il se peut que cette situation entraîne chez l'aîné des réactions agressives ou dépressives.

Il est des cas, on l'a vu, où la faiblesse native du Moi, son intolérance particulière aux frustrations, a pour conséquence que le développement sera perturbé quelles que soient les précautions prises. Le sevrage, l'apprentissage de la marche, l'accession à la propreté, les premières séparations d'avec la mère, chaque dépassement est alors ressenti par l'enfant avec angoisse et pose un problème difficile. Mais ces cas sont l'exception, et le plus souvent un éducateur vigilant peut éviter à l'enfant une situation traumatique, en dosant les frustrations à la mesure de la force du Moi. C'est-à-dire : en premier lieu en s'arrangeant pour qu'elles ne soient ni trop intenses, ni trop brusques; en second lieu en évitant d'imposer une frustration à un moment critique de la vie, un moment où l'enfant se trouve dans un état de réceptivité particulière qui le rend momentanément intolérant à la frustration; en troisième lieu en veillant à ne pas accumuler intempestivement les frustrations; en quatrième lieu en compensant les frustrations qu'on n'a pu éviter par une attitude gratifiante qui répare au moins en partie la perte subie. Nous en avons donné des exemples au Livre I en montrant, notamment à propos de l'éducation à la propreté sphinctérienne, quelle est l'attitude à prendre pour ne pas traumatiser l'enfant.

Comme on ne peut évaluer d'une manière objective et scientifique la capacité qu'a un enfant, à chaque âge, de tolérer une frustration déterminée, il faut user de souplesse et interroger l'expérience. C'est ainsi qu'on sera amené, chaque fois qu'on croit venu l'âge d'un certain dépassement, à y engager l'enfant, mais en se tenant prêt à faire marche arrière si l'on constate que l'enfant n'est pas mûr pour y parvenir, et à essayer de nouveau un peu plus tard. Surtout on ne devra pas réagir avec rigidité et sévérité si l'enfant, après avoir réussi son dépassement, revient en arrière, si par exemple, après être devenu propre, il redevient sale, ces oscillations de progression-régression entrant, comme nous l'avons dit, dans le cadre des réactions normales.

Il est facile de comprendre, après cela, dans quels cas les frustrations seront pathologiques et, au lieu d'être maturantes, empêcheront au contraire la maturation normale. Ce sont les frustrations trop intenses, ou imposées trop brusquement, ou imposées à un moment critique de la vie de l'enfant, ou bien les frustrations accumulées, ou celles qui ne sont pas compensées par de la tendresse.

Appliquons ces règles à la frustration majeure à laquelle peut être exposé un petit enfant; *la séparation d'avec la mère.*

Séparation totale et prolongée, sans qu'il soit procuré à l'enfant un substitut maternel valable.

Séparation soudaine, sans que l'enfant y ait été aucunement préparé (tel le départ ou la mort subite de la mère).

Séparation à un moment critique, à un moment où l'enfant est fatigué ou en incubation de maladie, ou rendu vulnérable par quelque conflit intérieur.

Séparation unique, mais avec accumulation de frustrations [1].

Séparation aggravée par l'indifférence de la mère ou son manque de tendresse au retour de l'enfant, ou réaction négative de l'entourage devant les manifestations agressives ou tristes de l'enfant.

Une des conséquences les plus importantes des frustrations non supportées est d'exalter l'agressivité de l'enfant contre la personne responsable. Tantôt cette agressivité se libère en gestes hostiles ou en paroles violentes, ce qui peut entraîner des réactions en chaîne si les parents répondent par la violence à la violence de l'enfant, ou aggravent la frustration au lieu de l'atténuer; il est fréquent par exemple qu'un enfant, réagissant agressivement après une séparation, soit derechef éliminé du milieu familial en raison même de son mauvais caractère, ce qui a pour effet d'exaspérer celui-ci. Il convient de toujours rechercher ce facteur de frustration

[1] L'exemple suivant montre que, lors d'une seule séparation, l'addition des frustrations peut parfois réaliser un traumatisme psychique grave.

Une petite fille de 2 ans, à la naissance de son petit frère, est placée pour un mois dans un home d'enfants, ce qui est pour elle la première séparation d'avec la mère. Dans ce home, pour des raisons de contagion possible, on garde la fillette une semaine au lazaret, dans une chambre où elle s'ennuie faute de compagnes de jeu; qui plus est, à cause des poux, on lui tond ras ses beaux cheveux de petite fille; et quand elle revient au bout d'un mois à la maison, c'est pour trouver, prise par le nouveau-né, sa place dans la chambre des parents; de surcroît, pour alléger les charges de la maman, on envoie la petite à la maternelle, ce qu'elle ressent bien entendu aussi comme une exclusion. Il n'est pas étonnant que cette accumulation de frustrations ait déterminé chez la fillette tout à la fois de l'angoisse, une revendication d'amour et des réactions agressives.

quand on constate chez un sujet un caractère difficile et agressif [1].

Tantôt cette agressivité suscite dans le cœur de l'enfant une vive angoisse avec crainte de talion, et son Moi se défend, soit en régressant, soit en retournant l'agressivité contre lui-même, ce qui entraîne un état dépressif.

Notons cependant ici pour être complet que la frustration par « séparation » peut se produire aussi chez un enfant qui n'a pas quitté la maison familiale, lorsque le « maternage » est insuffisant ou même nul. Sans parler des cas extrêmes où une mère indigne délaisse complètement son enfant, il est des cas moins apparents qui n'en sont pas moins générateurs de frustration. Par exemple une mère tient un petit commerce au rez-de-chaussée; le bébé est dans son berceau, seul, au premier étage; aux heures des biberons, la maman s'absente

[1] Voici le cas d'une jeune fille de 15 ans qui nous est présentée pour des troubles caractériels — particulièrement une forte agressivité contre son père — datant de l'âge de 6 ans. Ces troubles se sont manifestés pour la première fois au retour d'un home de montagne où la fillette avait passé 8 mois pour une primo-infection tuberculeuse. L'étude des antécédents nous apprend que la fillette a été conduite à ce home, à l'âge de 5 ans, non par sa mère comme on aurait pu le supposer, mais par une infirmière et que, de surcroît, elle n'a durant les 8 mois de son séjour reçu aucune visite. La raison de ce comportement de la mère était que celle-ci craignait les crises de larmes des séparations. Mais à une analyse attentive, il apparaissait que la mère était une anxieuse, très égoïstement centrée sur son propre problème névrotique et craignant surtout pour elle-même. A cela s'ajoutait que la fillette, née avant mariage, n'avait guère été désirée, et que ses parents s'étaient très peu occupés d'elle, l'ayant confiée dès sa naissance aux soins des grands-parents. La fillette avait donc ressenti la séparation comme un abandon, et l'on doit reconnaître qu'elle voyait juste, car le sentiment inconscient des parents à son égard était vraiment un sentiment de rejet. Rien d'étonnant par conséquent qu'elle leur en ait voulu et que se soit développée à leur égard une forte agressivité, motif de la consultation. Comme nous l'avons déjà souligné, il est remarquable que l'inconscient des enfants puisse percevoir directement l'inconscient des parents, même si celui-ci ne se manifeste pas de manière apparente dans le comportement.

un instant de sa boutique, donne le plus vite possible à boire à son bébé, sans s'occuper autrement de lui, et redescend sans tarder pour servir ses clientes qui l'attendent. Il arrive en pareil cas que le bébé pleure et qu'on fasse alors un effort — la maman ou quelqu'un d'autre — pour le prendre dans les bras, le bercer, lui faire faire une petite promenade. Mais s'il est de tempérament apathique et reste tranquille dans son berceau, on croira que tout va bien, alors qu'en réalité la vie en lui s'étiole, et que cela lui laissera un déficit durable. Nous retrouvons ici la notion de richesse du milieu, déjà exposée au Livre I.

4. FIXATION ET RÉGRESSION

Quand par suite d'une faiblesse native de l'expansion vitale, ou bien par la faute de graves frustrations empêchant la maturation, l'évolution s'arrête à une certaine étape de la croissance, on dit qu'il y a *fixation* à cette étape.

Cette fixation nous indique qu'est privilégié le mode de vie de l'étape considérée, suivant le principe du plaisir maximum, de par le fait que le dépassement de cette étape impliquerait une souffrance trop grande, que l'enfant cherche par conséquent à éviter.

La fixation peut être totale, correspondant à un arrêt du développement psychique — ou bien partielle, et dans ce dernier cas, le sujet semble au premier abord poursuivre une croissance normale; mais ce progrès est fragile et, au premier obstacle, le sujet revient en arrière à son étape de fixation; moins est importante la part de la personnalité qui progresse, plus est grand le risque de retour en arrière.

La notion de fixation est donc inséparable de la notion de

régression. Tous les êtres vivants sont exposés à régresser d'une manière au moins temporaire, nous l'avons dit au Livre I. Mais les régressions pathologiques, c'est-à-dire celles qui sont à la fois intenses et durables, ne se produisent en général que quand il y a une fixation préalable, car celle-ci constitue un point d'appel pour le processus régressif.

Parmi les fixations partielles, il importe de souligner particulièrement celles qui portent exclusivement sur la vie instinctive-affective, tout en épargnant le Moi, car il y a là une source très importante de conflits. En effet, le Moi, porte-parole des règles parentales et du principe de réalité, ne peut manquer de s'insurger contre l'attitude infantile choquante à laquelle conduit la fixation à une étape régressive, et il met en œuvre contre elle toutes ses défenses. Par exemple chez un enfant fixé par ses instincts au stade sadique-anal, le Moi plus évolué, ayant acquis des cadres esthétiques et moraux, se révolte contre les pulsions, les refoule et développe des formations réactionnelles de propreté. Nous avons là une des origines les plus habituelles des *névroses*, des conflits névrotiques, lesquels se produisent toujours entre le Moi et les pulsions. Nous les étudierons un peu plus loin.

Mais ici, nous aurons d'abord en vue les cas où la *fixation-régression* atteint à la fois les pulsions et le Moi, déterminant des états d'*immaturité globale.* Dans ces cas, il n'y a bien entendu pas de conflit intérieur, mais il peut y avoir — et il y a souvent — conflit extérieur, de par le fait que le comportement de l'enfant, ne correspondant pas à son âge, suscite la réprobation de l'entourage.

Il est des étapes privilégiées pour ces fixations-régressions : nous en décrirons trois principales : le stade oral; le stade sadique-anal; le stade œdipien. A chacune correspond un ensemble de traits psychologiques qui définissent un *type de caractère.*

La *fixation au stade oral* se traduit par la persistance insolite des besoins de ce stade : grande avidité pour la nourriture, gourmandise, mais élective pour les aliments « qui passent tout seuls » et n'exigent pas d'effort de mastication (par exemple le lait, l'alcool, et d'une manière générale les nourritures de bébé); dépendance totale vis-à-vis du milieu maternel de protection ou d'un substitut; recherche constante de sécurité à tout prix; passivité et réceptivité; refus de l'effort; sur le plan scolaire, grande facilité d'assimilation, mais sans possibilité d'effort de travail ni de réflexion. Le principe de plaisir domine ici, entraînant le refus d'accepter la réalité, le désir capricieux d'être satisfait tout de suite et complètement, l'égoïsme du « moi tout seul », la croyance en la toute-puissance du désir et de la pensée. L'intolérance à la frustration est bien entendu à son maximum, et la moindre déconvenue suscite la recherche d'un milieu de protection, le refuge dans la sécurité, dans la passivité rêveuse ou dans le sommeil.

La *fixation au stade anal* se traduit par la persistance insolite des besoins de ce stade. Valorisation des excréments et de tout ce qui est sale; refus de se laver, goût des vêtements déchirés et sales. Tendance à se laisser aller à une agitation motrice destructrice. Agressivité déchaînée par la moindre frustration. Opposition violente à tout ce qui peut contrarier les propres désirs. Grossièreté des propos. A l'école, indiscipline, refus d'accepter les règles, activité désordonnée, chahut, cahiers mal tenus, déchirés et sales.

La *fixation au stade œdipien* se produit par le non-dépassement de l'Œdipe. La vie affective reste marquée par les attachements premiers, avec leur caractère excessif, aussi bien dans l'amour que dans la haine, avec leur tendance à obéir à la loi du tout ou rien; les sentiments ne sont pas nuancés, et par exemple une déception même légère peut faire virer soudain l'enfant de l'amour à la haine.

Par l'exclusivité de ses attachements, l'enfant se comporte soit en tyran, soit en esclave. En tyran dans la mesure où il ne pense qu'à sa propre satisfaction et ne prend pas en considération les besoins d'autrui; en esclave dans la mesure où il dépend entièrement de l'autre, et où son Moi s'effondre si ce soutien vient à lui manquer.

Dominé par la persistance de ses très étroits rapports affectifs avec son père et sa mère, l'enfant est incapable d'établir des relations valables avec d'autres personnes. Il n'a que de rares camarades, soit dans une relation à deux marquée par la même exclusivité que l'attachement aux parents, soit dans une relation à plusieurs où se reproduisent les petits drames de jalousie de l'Œdipe non résolu.

Sa pensée reste trop imprégnée d'affectivité et de croyances magiques; il croit encore au Père Noël et au « petit doigt qui sait tout ». La réalité, quand d'aventure il la perçoit exactement, lui est fréquemment une cause de déception, et il a tendance à se réfugier dans un monde de rêves irréels où son désir fait loi; c'est là un facteur habituel d'inadaptation à l'école.

CHAPITRE II

LES MÉCANISMES DE DÉFENSE DU MOI À L'ÉTAT PATHOLOGIQUE

Hormis la sublimation, on a vu que tous les mécanismes de défense du Moi peuvent être utilisés aussi bien dans les situations pathologiques que dans les situations normales.

Ce qui fait le caractère pathologique de ces défenses, on l'a vu, c'est d'une part *leur grande intensité*, répondant à une angoisse conflictuelle très forte à laquelle le Moi ne peut faire face qu'en faisant appel à toutes ses ressources; et d'autre part *leur rigidité*, elle aussi due à l'angoisse, qui vient de ce que le Moi, crispé dans son action défensive, n'est plus libre de répondre avec souplesse à la variété des situations et, ayant fait choix d'un certain mécanisme, s'y tient opiniâtrement.

Nous allons examiner ci-après les principaux mécanismes de défense à l'état pathologique, et au premier chef la répression par refoulement.

I. LE REFOULEMENT

Nous avons déjà, au Livre I, souligné comme essentielle l'opposition entre la *sublimation* et le *refoulement*, et nous avons montré que cette opposition est caractéristique de ce qui sépare le normal du pathologique, en ce que *la sublimation est un mécanisme de défense souple*, qui sauvegarde tout le dynamisme de la personnalité, tandis que *le refoulement est un mécanisme rigide*, qui bloque dans les profondeurs de l'être la plus grande partie des forces vitales.

Insistons ici sur ce qui fait *la nocivité du refoulement*.

En premier lieu, le blocage des forces vives par la censure du Moi a pour conséquence de priver la personnalité de toute la puissance dynamique que ces forces instinctives représentent. A quoi il faut ajouter que le Moi doit consacrer le meilleur de sa force pour maintenir le refoulement, et que cette force n'est alors plus disponible pour d'autres tâches. D'où résulte pour la personnalité une double perte de dynamisme vital, qui nous explique l'*asthénie* quasi constante de tous les névrosés. Une comparaison le fera bien saisir. Supposons des bandits qu'on a mis en prison, où des gardiens doivent jour et nuit les surveiller. Les bandits, ce sont ici les pulsions reconnues dangereuses; les gardiens, ce sont les défenses du Moi. Il est bien évident que ni les bandits, ni les gardiens ne sont d'aucun profit pour la Cité, puisque ni les uns ni les autres ne travaillent. Mais si l'on trouvait le moyen de rééduquer ces malfaiteurs et de les amener à des tâches constructives, ils pourraient alors rendre service; et leurs gardiens, libérés de leur fonction de surveillance, seraient de leur côté disponibles pour d'autres activités. Pareillement, quand on réussit par une psychanalyse à réintégrer dans la personnalité les pulsions refoulées, on libère dans le sujet un double jeu de forces; les forces des pulsions et les forces du Moi, et on lui fait retrouver tout son dynamisme et tout son pouvoir créateur, sans compter la joie de vivre qu'il avait perdue.

En second lieu, ces pulsions refoulées dans l'inconscient sont par là soustraites au processus conscient, le seul qui puisse mûrir sous l'influence de l'éducation. Il en résulte que lesdites pulsions restent dans leur état sauvage premier, ne se socialisent pas, et que si d'aventure elles viennent à faire irruption dans le conscient, se défoulant, elles n'y apportent que du trouble. Nous verrons par exemple qu'en cas de névrose obsessionnelle, névrose qui résulte du refoulement des pulsions sadiques-anales, les idées obsédantes qui tourmentent le sujet et qui émanent de son inconscient, ont très souvent un caractère grossièrement ordurier qui suscite l'indignation du Moi.

En troisième lieu, le processus de refoulement étant brutal, ignorant les nuances, atteint la pulsion refoulée dans toutes ses manifestations et ne fait pas en particulier de distinction suivant l'objet de cette pulsion. Nous en verrons un remarquable exemple en parlant du complexe d'Œdipe, caractérisé par le fait que la répression de l'attrait sexuel incestueux d'un enfant pour le parent de l'autre sexe gagne « en tache d'huile », pourrait-on dire, le domaine entier de la sexualité, et peut déterminer à la puberté une inhibition totale, alors même que l'attrait amoureux ne s'adresse plus au parent, mais à une personne étrangère à la famille, et ne devrait par conséquent pas être frappé d'interdit.

En quatrième lieu, les pulsions refoulées constituent dans la personnalité une sorte de « corps étranger », et le sujet ne les reconnaît pas pour siennes. Il est donc porté à nier d'avoir ces tendances-là en lui. D'autant plus que, comme nous l'avons dit, le malaise anxieux qui détermine le refoulement ne se dissipe pas entièrement quand celui-ci est réalisé et doit être souvent apaisé par un mécanisme supplémentaire : la *projection*. Quand un sujet a donc ainsi refoulé une partie de sa vie instinctive et l'a projetée dans le monde extérieur, c'est tout un domaine de sa réalité psychique intérieure qui disparaît alors, ce qui peut altérer gravement la connaissance qu'il a de lui-même. Ainsi, un sujet qui a refoulé et projeté toutes ses pulsions amoureuses dira que l'amour ne compte pas pour lui, que ce sentiment ne joue aucun rôle dans sa vie. De la même façon, un sujet qui a refoulé et projeté son agressivité se croira de très bonne foi dénué de toute hostilité contre autrui, mais en revanche, de par la projection, il croira que les autres lui en veulent et le persécutent. Ces exemples nous font saisir que ce n'est pas seulement ici la réalité intérieure psychique qui se trouve déformée, mais encore la réalité extérieure, puisqu'on voit alors celle-ci non comme elle est réellement, mais telle qu'on la fait soi-même par la projection.

Ajoutons que la joie naturelle de vivre qui accompagne l'expansion vitale est éteinte par le refoulement, les sujets qui refoulent fortement leurs instincts ayant de ce fait une humeur morose et même triste.

2. FORMATIONS RÉACTIONNELLES PATHOLOGIQUES

On a vu au Livre I que, pour mieux assurer le refoulement des pulsions censurées, le Moi développe dans le conscient les tendances exactement contraires, ce qu'on appelle les *formations réactionnelles du Moi*. Il en est de ces formations réactionnelles comme du refoulement lui-même. Quand elles sont modérées, elles s'intègrent, on l'a vu, dans le processus de sublimation et ne portent pas atteinte à l'équilibre de la personnalité ni à son efficience. Mais quand elles sont intenses et rigides, elles sont un facteur de névrose et d'inadaptation.

Elles sont tout particulièrement à l'origine d'une forme très répandue de *caractère névrotique*. Il s'agit de personnes qui n'agissent jamais par un élan spontané de leur vie instinctive, mais qui sont dirigées en toutes occasions par leurs formations réactionnelles. Dans la jeunesse, ce sont des enfants très sages, « trop sages », qui ne se départissent jamais d'une stricte conformité aux règles en usage : les règles d'obéissance, de ponctualité, d'ordre, de propreté, de politesse, et que de ce fait on donne souvent, il faut bien le dire, comme des modèles. Il a été montré au Livre I le rôle que jouent les formations réactionnelles dans l'éducation scolaire en disciplinant les enfants, en les rendant capables d'être attentifs, de tenir leurs cahiers propres, d'écrire avec soin en suivant les lignes, de modérer leurs impulsions afin d'entretenir avec leurs camarades des rapports de bon voisinage. Encore faut-il que ce modelage soit progressif et ne fasse pas violence à la personnalité de l'enfant. On sait que trop souvent, sous l'influence de maîtres d'école rigides, la spontanéité naturelle de l'enfant s'efface, faisant place à des attitudes artificielles qui sont en quelque sorte « plaquées » et ne modifient pas l'être dans ses profondeurs. Il est tout à fait remarquable qu'en 1908, à une époque où la compréhension psychanalytique n'existait pas encore, *Léon Frapié*, dans son admirable ouvrage sur *La Maternelle*, ait vivement senti cela. Il écrit en effet, à propos de trois enfants de cette *Maternelle* : « Ils ont été mis à la crèche le lendemain de leur naissance. Agés de 6 ans, ils ont six ans de discipline. Leur figure même est scolarisée ! Ils exhibent ici une expression spéciale, une physionomie d'uniforme. Et voilà justement le désastreux : *ces enfants ne sont plus nature*, et pourtant *on n'a pas amendé leurs instincts profonds*! Les germes de plein air susceptibles d'apporter la réaction utile ont été étouffés, tandis que demeure la perversion qui rampe et se tapit pour mieux sévir plus tard. *Allez donc corriger les goûts de malpropreté de Virginie, de Marie, maintenant qu'elles se réfugient derrière le signe extérieur de propreté !* ». On ne saurait mieux dire : l'instinct refoulé devient inaccessible à la maturation consciente, inaccessible à toute influence éducative; il n'attend qu'une occasion propice pour se libérer et remettre en question le « bel ordre » artificiel établi.

On sait que ces méthodes éducatives rigides sont en particulier responsables de l'étouffement des talents créateurs de l'enfant, notamment dans le domaine pictural. On n'y tolère que le dessin fait à la règle et colorié dans les limites du trait sans bavure aucune; et en avant la gomme pour effacer aussitôt tout ce qui n'est pas dans la ligne droite! Nous avons montré dans notre étude sur le *Gribouillis* [1] que cette contrainte éducative inhibante va jusqu'à influencer une manifestation de spontanéité aussi libre qu'est le gribouillage des enfants. Nous vîmes un jour, en vacances (ce détail mérite d'être souligné), un gentil garçon de 6 ans que surveillaient une mère censurante et une gouvernante au visage sévère. Invité à faire un gribouillis, le garçon demanda une règle; comme on n'en avait pas; il en fit une lui-même en pliant en huit une petite feuille de papier; puis à l'aide de cet instrument de fortune, il traça sur le papier un bateau que voici représenté (fig. 7). Comme on le pressait d'ajouter des vagues, il esquissa timidement quelques ondulations discrètes sous le bateau. Alors, par gageure, on le stimula, on l'excita en lui suggérant que le vent soufflait et faisait bouger

[1] Le Gribouillis. Un test de personnalité profonde (P.U.F.)

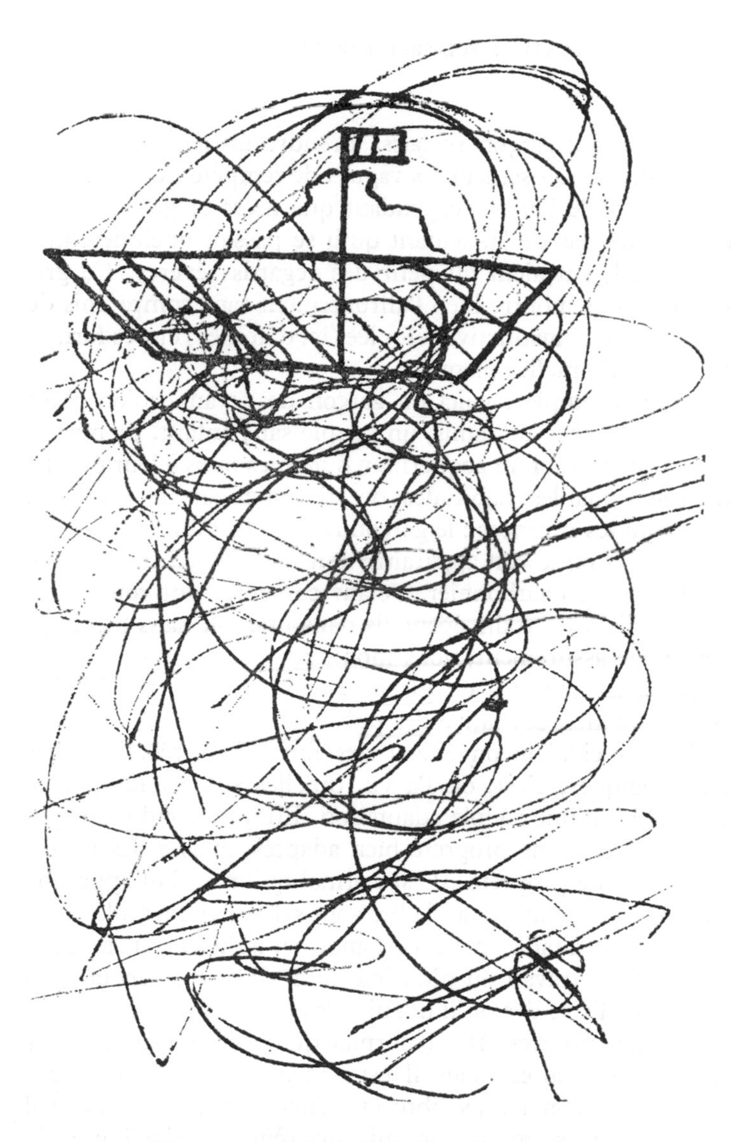

Fig. 7. Reproduite de l'ouvrage : « Le gribouillis. Un test de personnalité profonde ». (P.U.F.)

le bateau. Le garçon se laissa prendre au jeu et se mit à gribouiller furieusement les vagues de tempête qu'on voit ici passant sur le bateau, cependant que mère et gouvernante, à quelques pas de là, sentant qu'il se passait quelque chose d'anormal, lançaient au petit des regards sévères. Ce gribouillis nous montre bien l'affrontement sans compromis de la spontanéité instinctive refoulée (ici défoulée) et des formations réactionnelles plaquées.

Autre exemple : voici un garçon de 11 ans qu'on place en pension chez des amis, un couple sans enfant, de mœurs très strictes, qui font acquérir en quelques mois à leur pupille de remarquables habitudes de discipline et de propreté. Viennent les vacances : le garçon rentre chez lui, et quelques jours après on le voit apparaître noir des pieds à la tête, avec un visage de charbonnier, s'étant copieusement roulé dans la poussière, les traits épanouis dans une joie sans mélange. Revanche assurément, nous montrant que la contrainte des règles a ici abouti à un placage, mais non à une véritable transformation éducative des pulsions.

Le principal inconvénient des formations réactionnelles pathologiques, c'est, on l'a vu, qu'elles sont rigides, donc incapables d'une souple adaptation. Elles ne conduisent pas à un ordre, à une propreté bien adaptés, mais à des *manies* d'ordre et de propreté. Il est normal qu'un enfant apprenne à se laver les mains quand elles sont sales, par exemple avant de se mettre à table; mais il est anormal qu'il s'arrête au beau milieu d'un travail ou d'un jeu pour aller se laver, et qu'il soit mal à l'aise dès qu'il n'a plus les mains ou les vêtements tout à fait propres. Il est normal qu'un enfant apprenne à ranger ses affaires, mais il est anormal qu'il en vienne à passer tout son temps libre en rangements. Il est normal qu'un enfant se montre soumis aux règles de docilité et de travail qu'établit l'école, mais il est anormal qu'il en vienne à utiliser tout son temps de récréation à faire des calculs ou des pages d'écriture, comme nous le vîmes faire à un petit garçon de 6 ans, bien assurément névrosé.

On a vu au Livre I que les fillettes sont en général plus précoces en ce domaine que les garçons, plus tôt soucieuses d'ordre et de propreté, plus soumises aux règles. Il convient d'ailleurs de se demander si la plus grande fréquence des névroses ultérieures dans le sexe féminin n'aurait pas sa source dans cette soumission précoce aux contraintes éducatives, étant donné, comme nous l'avons dit, que la condition d'une sublimation réussie, qui fait échapper à la névrose, est la possibilité d'une certaine libération instinctive dans l'enfance.

Tout dépend aussi bien entendu de l'âge, les formations réactionnelles devant naturellement marquer surtout la période de latence, entre 6 et 11 ans. De sorte que l'obéissance aux règles, qui est normale chez un enfant de 6 ans, aura un caractère pathologique si on l'observe sous une forme stricte chez un enfant de 3 ou 4 ans. On a compris pourquoi : c'est qu'en pareil cas il se produit, de par les exigences éducatives trop sévères, un véritable divorce entre la vie instinctive et la vie sociale, celle-ci ne puisant plus alors sa force aux sources profondes de la spontanéité vitale et n'ayant plus de ce fait aucun pouvoir créateur.

Formations réactionnelles soudaines. Outre les caractères déjà mentionnés, il est un autre trait important qui différencie les formations réactionnelles normales de celles qui sont pathologiques : c'est la *progressivité d'apparition.*

Dans le processus de sublimation, le fait même qu'il y ait part égale d'assouvissement instinctif et de répression entraîne cette conséquence que les formations réactionnelles ne s'instaurent que très progressivement et n'entravent que peu l'activité pulsionnelle.

Par contre, à l'état pathologique, quand le refoulement est total, les formations réactionnelles, se substituant complètement à la spontanéité instinctive, ont un effet brutal de blocage. Alors qu'à l'état normal, le changement de caractère d'un enfant qui se socialise se fait d'une manière progressive, ici on observe en quelques semaines ou quelques mois un changement du tout au tout soudain et surprenant. Il s'agit le plus souvent d'enfants qui avaient manifesté jusque-là une forte vie instinctive, agressifs ou sensuels à l'extrême, et qui étaient de ce fait entrés en conflit aigu avec leur entourage éducatif. Vient un temps où on les censure plus fortement, où quelque menace violente des éducateurs provoque en eux une soudaine angoisse de culpabilité, et brusquement la situation s'inverse. Cela peut s'observer à tout âge, mais c'est particulièrement fréquent à la période de latence, entre 6 et 11 ans, car bien évidemment, à cet âge où l'on s'attend à ce que l'enfant acquière quelque raison, s'adapte aux disciplines, s'il ne le fait pas, ses parents s'inquiètent, prêtent l'oreille aux plaintes des voisins ou du maître d'école, et décident d'employer tous les moyens en leur pouvoir pour que cela change.

Voici par exemple une fillette de 11 ans qu'on nous amène en consultation pour sa grande timidité, sa honte d'elle-même, son inhibition marquée tant dans le travail scolaire que dans les jeux. Or elle avait été jusqu'à l'âge de 9 ans une fillette débordante de vie, effrontée, chahuteuse, sans aucune gêne ni pudeur. Comme elle s'était fait pour cela renvoyer de l'école, ses parents avaient décidé, pour la mettre au pas, de la placer dans une pension où la règle était très stricte. On n'y réussit que trop bien, car la discipline rigide qu'on imposa à cette fillette parvint à faire d'elle une complète inhibée, au grand dam de ses études bien entendu. Comme exemple de sa transformation, notons que vers ses 10 ans, elle se montrait volontiers nue devant son père en lui disant : « Regarde les beaux petits seins que j'ai ! », alors qu'un an plus tard, elle se comprimait la poitrine avec un bandage parce qu'elle avait honte de la voir grossir, disait-elle.

Ce cas a trait surtout au refoulement de l'agressivité. En voici un autre où c'est la sexualité qui est l'objet d'une intense formation réactionnelle. Une fillette, vers ses 5-6 ans, avait manifesté un érotisme rare à cet âge; par crises, elle se roulait voluptueusement sur le sol en demandant à sa mère de lui caresser le ventre. Or, vers ses 7 ans, elle a développé en quelques mois des rituels de propreté et d'ordre, se lavant fréquemment les mains, devenant une maniaque de l'ordre, ce qui contrastait singulièrement avec sa tendance antérieure au désordre et à la saleté. Surtout elle a acquis un sentiment de honte très vif, disant : « Je ne veux plus faire caca parce que c'est sale; je voudrais ne jamais avoir à le faire. » Elle dit encore : « Je voudrais que toute la partie du corps entre le nombril et les genoux n'existe pas car elle ne sert qu'à des choses sales. » Et quand sa petite sœur oublie de mettre sa culotte de dessous, elle le lui reproche en lui disant qu'elle a fait un gros péché. Que cette inhibition de la vie sexuelle soit pathologique nous est prouvé par le fait que cette fillette est constamment obsédée par ses pensées et se montre à l'école toujours distraite, ce qui lui vaut beaucoup de retard en dépit de son excellente intelligence.

Que la pudeur doive peu à peu remplacer l'impudeur du premier âge, les tendances au voyeurisme et à l'exhibitionnisme, cela est naturel. Mais quand elle se marque d'une manière excessive, comme dans le cas précédent, elle est évidemment pathologique. Voici, quelque peu différemment, le cas d'un garçon de 13 ans, fils unique intensément fixé à sa mère, consultant pour des difficultés scolaires qui ne dépendent pas d'un défaut d'intelligence. Il se révèle qu'ici aussi, c'est l'inhibition excessive des pulsions qui est responsable du retard scolaire. Ce garçon avait été jusqu'à l'âge de 7 ans très tendre, très caressant, très embrasseur, aimant se coucher à côté de sa mère ou venir sur ses genoux. Il a brusquement changé, refuse désormais toute intimité physique avec sa mère, refuse notamment de l'embrasser comme de la laisser assister à sa toilette. Il rationalise son comportement en définissant l'amour « comme un pur échange d'idées ». Il aime être avec sa mère et discuter avec elle de problèmes scientifiques. Ses liens affectifs œdipiens n'ont en rien diminué, bien au contraire, et le garçon va jusqu'à dire qu'il ne se mariera pas, qu'il restera avec sa mère, car, dit-il « ma mère est une femme parfaite; jamais je n'aurai d'union aussi parfaite avec une autre femme ». Ce qui est pathologique en pareil cas, c'est l'extinction de toute tendresse physique, et le processus de défense contre l'Œdipe par une rationalisation excessive, laquelle est bien entendu très éloignée de la véritable sublimation.

3. LA RÉGRESSION

Nous avons vu que la régression est fréquente dans tous les cas où les forces d'expansion sont insuffisantes pour assurer la progression en avant.

Or, ce mécanisme naturel, le Moi va l'utiliser aussi comme moyen de défense contre l'angoisse conflictuelle.

Tantôt les difficultés conflictuelles rencontrées au cours de la croissance, quoique peu importantes, ont lieu chez un enfant mal armé pour les affronter parce qu'il a gardé des points de fixation, qu'il a, en un mot, dans son inconscient, la nostalgie du passé, et qu'au moindre obstacle il fait une régression.

Tantôt les difficultés sont graves, suscitent une angoisse intense, et le Moi, en dépit de sa force, est obligé pour y parer de faire usage du mécanisme régressif.

C'est donc dans le premier cas la faiblesse du Moi qui est en cause, tandis que dans le second cas c'est l'intensité anormale des conflits.

Dans le premier cas, la régression représente pour ainsi dire une tendance naturelle du caractère et risque de marquer de son sceau la vie entière. Dans le deuxième, il est probable par contre qu'une fois passée la période des difficultés, les forces progressives reprendront le dessus.

Le degré de force du Moi est ici encore un élément décisif pour le pronostic d'avenir. Lorsque le Moi, porte-parole de la réalité, n'accompagne pas les tendances instinctives dans leur régression, il entre en lutte avec elles, et ce conflit constitue une *névrose*.

Quand par contre le Moi régresse, lui aussi et perd le contact avec le réel, on voit se constituer des troubles plus graves qui peuvent aller jusqu'à la *psychose*.

4. L'ISOLATION

C'est, on l'a vu au Livre I, une prise de distance par rapport à des personnes vis-à-vis desquelles on éprouve des sentiments soit amoureux, soit agressifs, que la censure du Moi interdit. C'est un mécanisme assez souple, puisqu'il permet de régler cette distance à proportion de l'intensité des sentiments qu'on éprouve et auxquels on s'interdit de céder.

Dans les situations pathologiques, l'isolation peut aboutir à une rupture complète des relations avec les personnes objets de l'interdit, dès que l'on est sur le point d'éprouver des sentiments amoureux ou agressifs à l'égard desdites personnes et, en vertu du mécanisme de déplacement, à l'égard de toutes les personnes auxquelles on se trouve lié affectivement.

On verra en particulier que dans le complexe d'Œdipe, l'isolation peut rompre tous les liens d'un enfant avec ses parents; on est alors frappé de ce qu'à un moment donné, il refuse d'embrasser et d'être embrassé, et se refuse même aux échanges simplement verbaux. De même nous verrons que le conflit de rivalité fraternelle est parfois résolu par une prise de distance qui va jusqu'à supprimer tout rapport entre les rivaux, ceux-ci alors s'ignorant mutuellement.

Dans ses formes les plus intenses, l'isolation est surtout caractéristique de la Névrose obsessionnelle, dont un des symptômes les plus marquants est ce qu'on appelle le *délire du toucher*; expression impropre puisqu'il ne s'agit en aucune manière d'un délire, mais d'une crainte panique d'entrer en contact, de toucher de ses mains (ou de son corps) les choses ou les êtres humains. Comme il est impossible de l'éviter tout à fait, le sujet en proie à cette crainte est amené à des rituels de purification, dont le plus fréquent est le *lavage compulsif des mains*. L'objet principal visé par cette crainte nous en indique souvent l'origine. Ainsi une petite fille, qui avait présenté vers 5-6 ans des tendances érotiques œdipiennes très accusées, avait un an après développé de puissantes formations réactionnelles et, dans un tableau de complète inhibition, offrait ce symptôme de ne plus vouloir donner la main aux personnes, mais surtout aux hommes; c'était bien entendu le négatif du désir contraire qui avait prévalu jusque-là et qui s'était exprimé notamment dans le fantasme de chatouiller son père au ventre et d'être de même chatouillée par lui. Cette fillette présentait par ailleurs, comme on va le voir, d'autres signes bien caractérisés de névrose obsessionnelle.

Il est fréquent qu'il y ait extension de la crainte du contact érotique ou agressif à tous les contacts quels qu'ils soient; d'où des *rituels compensateurs*. Par exemple, la petite fille dont il vient d'être question ne pouvait dormir si ses deux pantoufles déposées sur la carpette se touchaient, car elles symbolisaient pour son inconscient le mâle et la femelle. De même il ne fallait pas que son oreiller touche la tête du lit, en vertu d'un symbolisme du même genre. Elle ne pouvait écrire à l'école, car le contact de l'encre et de la feuille de papier était frappé d'un interdit analogue. On comprend facilement qu'il puisse en résulter une paralysie totale, le sujet en proie à cette crainte des contacts étant continuellement obsédé par la pensée qu'il pourrait toucher quelqu'un ou que quelqu'un pourrait le toucher, et employant toutes ses forces à empêcher les contacts, ou s'il croit n'y être point parvenu, à mettre en œuvre des rituels de purification.

L'isolation, quand elle est générale, peut déterminer un véritable *repli narcissique* de l'enfant sur lui-même, et quand il y a blocage dans cette position, tous échanges avec l'entourage sont interrompus, ce qui peut entraîner de graves conséquences, tant au point de vue affectif qu'au point de vue intellectuel.

5. LE RETOURNEMENT CONTRE SOI

Ce mécanisme est surtout utilisé, on l'a vu, contre les pulsions agressives. Il aboutit à s'appliquer à soi-même le talion, de par l'intervention d'un Surmoi particulièrement sévère.

L'agressivité, se retournant contre le sujet lui-même, détermine, on le sait, un *état dépressif*, s'exprimant par de la tristesse, un sentiment de culpabilité et d'incapacité, avec une certaine complaisance morbide qui constitue le masochisme moral. A l'état pathologique, cette dépression se traduit par une véritable annihilation du Moi, une perte complète de tout dynamisme, de la honte, de la timidité, une recherche de l'échec parce qu'à ce degré, toute réussite apparaît à l'inconscient comme une expression de l'agressivité interdite.

CHAPITRE III

LES CONFLITS PATHOLOGIQUES

Puisque, comme nous l'avons dit, la nature de l'être humain est essentiellement conflictuelle, et que *ce n'est pas l'existence de conflits, mais leur absence qui est anormale*, le grand problème est alors de déterminer quels sont les conflits qui appartiennent à l'ordre normal, et quels sont ceux qu'on doit considérer comme pathologiques.

On l'a vu déjà : les conflits pathologiques sont ceux qui ne trouvent pas de solution et qui, de ce fait, aboutissent à un blocage, paralysant le dynamisme de la personnalité. Aussi les éducateurs, devant des manifestations conflictuelles chez un enfant, ne devraient-ils s'alarmer que lorsqu'il y a inhibition et blocage de la spontanéité vitale. Il n'en est pas ainsi le plus souvent : on les voit bien plutôt s'inquiéter des manifestations ouvertes de la vie instinctive, de l'agressivité, de la sexualité, et chercher à les réprimer. Par contre, ils sont d'ordinaire beaucoup moins attentifs aux dangers résultant d'une répression excessive, dangers pourtant redoutables, comme nous le montrerons.

Voyons pour illustrer ce propos le cas d'un conflit à la phase anale, résultat d'une éducation à la propreté faite maladroitement. Il s'agit d'un garçon de 6 ans pour lequel nous fûmes consulté parce qu'il n'avait jamais cessé d'être encoprésique et qu'il se montrait violent, s'opposant à tout ce que sa mère voulait lui faire faire. C'était par ailleurs un garçon d'une belle vitalité et d'un excellent contact affectif. Ses troubles caractériels avaient débuté très tôt, dès la fin de la première année, et ils s'expliquaient par l'attitude de la mère, femme intelligente, mais maniaque de la propreté, que les excréments des bébés dégoûtaient, et qui avait tout mis en œuvre pour que ses deux garçons fassent dans le petit pot dès leurs premiers mois; c'est ainsi qu'il lui arrivait de se lever trois fois par nuit pour leur faire faire pipi, au point qu'elle en avait perdu le sommeil. La conséquence de ce malmenage fut différente chez les deux garçons. L'aîné, de caractère doux, un peu fille, céda à la pression maternelle, devint de très bonne heure un petit maniaque de la propreté, docile et obéissant, mais fut et demeura énurétique nocturne (par refuge du besoin sadique-anal dans l'inconscient). Par contre le puîné fit de bonne heure une opposition ouverte, et c'est seulement pour lui qu'on consulta. Par la suite, à la faveur de quelques mesures pédagogiques, la situation de ce dernier redevint normale, tandis que le premier, bien qu'il semblât au premier abord poser moins de problèmes, resta immature affectivement et ne put s'affirmer à la puberté.

Un autre exemple est celui de la *constipation névrotique*, si fréquente dans le sexe féminin. Elle débute dans la petite enfance et représente une protestation contre l'exigence du petit pot. Elle est moins apparente et semble moins grave que cette opposition ouverte qu'est l'encoprésie; et pourtant, c'est un trouble plus profond qui risque de se perpétuer dans l'avenir.

De même, on l'a vu, il vaut mieux pour le développement ultérieur d'un enfant que sa vie instinctive se manifeste en des conflits même violents avec son entourage familial, plutôt que de céder complètement aux interdits et de faire place à un comportement d'enfant « trop sage ».

Nous verrons l'application de cette règle en étudiant les deux conflits les plus importants de la vie enfantine : le *conflit œdipien* et le *conflit de rivalité fraternelle*. Nous les avons déjà décrits au Livre I sous leur forme normale. Nous allons voir ici ce en quoi ils peuvent être pathologiques.

I. LE COMPLEXE D'ŒDIPE

Comme on l'a vu au Livre I, tous les enfants sans exception vivent l'Œdipe et passent en conséquence par une phase d'attraits incestueux. Cette phase, ils doivent la dépasser, pour se dégager des *liens qui les attachent* à leurs parents et pouvoir accéder à la maturité.

Nous avons montré que ce dépassement de l'Œdipe, qui caractérise ce qu'on peut appeler la situation œdipienne normale, se réalise par une sublimation des sentiments amoureux et des sentiments agressifs éprouvés à l'égard des parents, sublimation qui, comme on l'a vu, permet de garder intact le dynamisme pulsionnel, c'est-à-dire l'élan vital qui porte le sujet en avant.

Quand le dépassement de l'Œdipe ne peut se réaliser, qu'alors se maintiennent, et les sentiments incestueux à l'égard du parent de l'autre sexe, et les sentiments de rivalité hostile à l'encontre du parent de même sexe, l'on se trouve dans une situation pathologique d'inadaptation et de blocage des progrès.

Dans la tragédie antique d'Œdipe, le drame s'accomplit : Œdipe est conduit par un destin fatal à tuer son père et à épouser sa mère. Pour qu'un pareil drame se réalise dans les conditions ordinaires, il faudrait à la fois des pulsions vigoureuses et un Moi faible, incapable de s'y opposer. *Diderot*, dans le *Neveu de Rameau*, a eu la préscience de cette situation lorsqu'il écrivit : « *Si le petit sauvage était abandonné à lui-même, qu'il conservât toute son imbécillité et qu'il réunît au peu de raison de l'enfant au berceau la violence des passions de l'homme de 30 ans, il tordrait le cou à son père et coucherait avec sa mère.* »

C'est là bien entendu une éventualité rare, et nous en devons l'explication à la psychanalyse, qui a bien montré la nature conflictuelle de l'être humain. Si le drame œdipien d'ordinaire ne s'accomplit pas, au point qu'avant *Freud*, on ne se doutait pas de la généralité de son existence, c'est de par l'intervention de la défense du Moi, qui frappe les pulsions œdipiennes d'interdit et les refoule dans l'inconscient. Alors se trouve réalisée la situation pathologique du *Complexe d'Œdipe*.

a) *Causes du Complexe d'Œdipe*

Il est très important pour les éducateurs de savoir pour quelles raisons le dépassement de l'Œdipe ne se réalise pas comme il le devrait, car de cette connaissance peuvent résulter des règles de conduite pédagogiques.

Ce non-dépassement peut tenir à la *constitution native* de l'enfant lorsque celle-ci, à la faveur d'un défaut d'expansion vitale, prédispose le sujet à rester fixé aux stades prégénitaux, à n'aborder par conséquent le stade génital qu'avec une vitalité amoindrie, et à faire au moindre écueil une régression.

De manière analogue, il est des cas où la composante sadique des stades pré-génitaux est constitutionnellement très marquée et, de ce fait, aggrave l'agressivité œdipienne au point de susciter un choc en retour interdicteur.

Bien entendu, les éducateurs ne peuvent rien contre ces facteurs innés. D'en connaître l'existence peut cependant les amener à adopter une attitude éducative qui en pallie, dans une certaine mesure, les effets.

Les *circonstances particulières de la vie* d'un enfant peuvent intensifier l'angoisse liée aux pulsions œdipiennes et mobiliser par là les défenses du Moi.

En premier, il faut placer celles qui déterminent une *excitation sexuelle intense*. Trop de caresses, une intimité corporelle trop grande, des tentatives de séduction peuvent, venant des parents, avoir une action traumatisante sur l'enfant, et loin de lui procurer du plaisir, susciter en lui un état de tension nerveuse désagréable. Nous avons connu par exemple un garçon de 14 ans qui avait été maintenu jusqu'à l'âge de 12 ans dans la chambre des parents et, qui plus est, dormant dans le grand lit entre papa et maman. C'est lui qui, à un moment donné, n'a plus voulu, alléguant qu'il dormait mieux seul. Il convient d'ajouter que sa mère, fréquemment prise de boisson, lui collait après d'une manière très érotique, au point que le garçon, quand nous l'avons vu, en était excédé et parlait de quitter la maison.

Ce cas pose le problème de la *chambre des parents*. Il est certain que se trouver dans l'intimité sexuelle des parents, quand cela se prolonge au-delà de la deuxième année, peut déterminer une forte excitation perturbante. Voici par exemple une fillette de 12 ans, fille unique, qui depuis une année s'est trouvée devoir coucher dans la chambre des parents à la suite d'un changement de domicile, alors qu'elle avait jusque-là sa chambre à elle. Or, depuis la même époque, il s'est produit chez elle un fléchissement important de l'activité scolaire, et elle est passée en peu de mois des premières aux dernières places. Il nous a été possible de rattacher ce fléchissement dans les études au trouble affectif œdipien qui, comme le montraient les tests de personnalité, avait profondément perturbé cette fillette en plein début de puberté.

En second lieu, il convient de souligner que l'excitation sexuelle anormale se double très souvent d'une *crainte* et aussi de *sentiments de culpabilité.*

Crainte à *la vue des organes génitaux.* Il arrive assez souvent que des fillettes soient traumatisées par la rencontre d'un exhibitionniste et qu'elles en gardent une crainte durable de l'homme, surtout lorsque l'exhibitionniste a par surcroît tenté de les violenter.

En sens inverse, un garçon inquiet des conséquences possibles de sa masturbation, qui découvre soudain l'absence de pénis chez sa mère ou chez une fille, peut être amené à interpréter cela comme une émasculation, de sorte que la satisfaction sexuelle qu'il tire de sa masturbation est fortement mitigée d'angoisse.

Crainte aussi d'une *agression sadique.* Il est en particulier fréquent que, dans les familles d'alcooliques où les disputes entre mari et femme sont fréquentes, les enfants en arrivent à confondre le corps à corps des rixes avec le corps à corps sexuel. Les fillettes, notamment, se font alors de l'acte sexuel une conception sadique qui les conduit à appréhender ce que d'autre part elles désireraient.

Crainte encore du *châtiment* pour les pratiques érotiques. On sait à ce propos le danger des menaces de castration chez le garçon (« si tu continues de te toucher, on te la coupera »), et des menaces de retrait d'amour pour la fille (« si tu n'es pas gentille, maman ne t'aimera plus »). L'on doit savoir que de telles paroles, qui sont souvent proférées un peu trop à la légère, peuvent avoir un effet très déprimant chez un enfant sensibilisé par une angoisse intérieure de culpabilité.

La crainte peut en effet se doubler d'un *sentiment de culpabilité* lorsque, par exemple, en cas de mort d'un des parents, l'enfant s'imagine, en accord avec sa croyance en la toute-puissance du désir, en être responsable, pour l'avoir un jour, dans son agressivité hostile, plus ou moins consciemment désirée.

Enfin il peut y avoir *sommation d'influences traumatisantes*. Par exemple, en cas de naissance d'un petit frère, s'associent la curiosité sexuelle ravivée par cette naissance, le désir d'avoir soi-même un bébé par le parent de l'autre sexe, et l'exaspération de la haine jalouse à l'égard du parent privilégié du même sexe.

Il faut toutefois remarquer que l'action perturbante des circonstances de vie mentionnées dépend souvent de facteurs adjuvants qui peuvent, par un effet d'accumulation, intensifier l'excitation sexuelle et la crainte. Par exemple on a souligné que certaines opérations chirurgicales, surtout celles portant sur les organes génitaux (phimosis, hypospadias, ectopie testiculaire), mais aussi celles qui consistent dans l'ablation d'un organe quelconque (appendice, végétations, amygdales) peuvent avoir pour le garçon la signification d'une castration, interprétée par lui comme un châtiment, et par là être susceptibles de déterminer en lui une angoisse inhibante. Mais cette action traumatique de l'opération dépend essentiellement de la condition psychique de l'enfant au moment où il la subit, négligeable si le petit opéré est en bon équilibre nerveux, très importante par contre s'il est dans une situation perturbée, si par exemple il se trouve dans une période de masturbation intensive et qu'il vit dans la crainte qu'on le punisse pour cela.

En conséquence de tout ce qui précède, *les éducateurs doivent être attentifs à ne pas provoquer chez l'enfant une excitation sexuelle trop forte*, comme on l'a vu au Livre I, *mais aussi doivent veiller à ne pas susciter en lui une peur et une angoisse annihilantes*. Il leur faut donc s'efforcer de deviner le conflit intérieur dans lequel l'enfant se débat et y pallier par leur attitude, par leurs conseils, par leur présence affectueuse.

Si, comme on vient de le voir, il est des circonstances traumatisantes *momentanées* qui peuvent déterminer un complexe d'Œdipe, plus importantes encore sont les influences *continues* qui résultent d'*un milieu familial perturbant*.

Comme on le verra au Livre III, où nous parlerons de l'Inconscient des parents, le bon équilibre sexuel du couple parental est le garant le plus sûr d'une heureuse issue de l'Œdipe chez l'enfant.

Au contraire, l'homme et la femme qui n'ont pas résolu correctement leur Œdipe sont incapables de réaliser dans le couple une bonne harmonie sexuelle, et de ce fait leurs pulsions inassouvies se reportent sur leurs enfants, dont ils attendent l'amour que leur conjoint n'a pu leur donner.

Les sentiments œdipiens sont en effet réciproques. Si le fils est attaché à sa mère, la mère est tout autant attachée à son fils par des liens incestueux; de même la fille et le père. Plus l'attachement des parents à leurs enfants est fort, plus les enfants auront de difficulté à réaliser le nécessaire dépassement de l'Œdipe. Mais que faut-il entendre par un attachement « fort » ? C'est l'attachement des parents qui, n'ayant pas eux-mêmes résolu leur Œdipe, voient dans l'enfant qu'ils aiment une possession dont ils veulent jouir exclusivement, paralysant dès le départ toutes les tentatives qu'il fait pour conquérir son autonomie et nouer d'autres relations que celles de sa parenté.

Nous aurons l'occasion au Livre III d'en donner des exemples, de montrer par là quelques-unes des attitudes éducatives anormales qui peuvent empêcher le dépassement de l'Œdipe, et qu'en conséquence il convient d'éviter.

Mentionnons que les enfants uniques sont ici particulièrement exposés car, d'une part leur vie s'accomplit dans une très étroite intimité affective avec les parents, sans le contrepoids équilibrant des frères et sœurs; d'autre part, fréquemment aussi, les parents qui ne veulent pas d'un second enfant manifestent par là que, dans leur inconscient, ils n'ont pas tant voulu fonder une famille que se prolonger eux-mêmes d'une manière narcissique.

Certaines circonstances créent des situations analogues. En cas de séparation des parents par deuil ou divorce, le parent qui reste seul avec son enfant aura tendance à exercer sur lui une tyrannie affective. Réciproquement les sentiments de l'enfant qui vit dans l'affection exclusive d'un des parents s'exaltent exagérément du fait qu'il n'ont pas le contrepoids de la présence de l'autre parent.

b) *Le refoulement et les formations réactionnelles*

Lorsque les sentiments œdipiens ont une trop grande intensité et que le Moi, *dans sa force actuelle*, ne pouvant les maîtriser pour les sublimer, ressent de leur existence une angoisse trop vive, la défense la plus radicale consiste, comme on l'a vu, à nier lesdits sentiments, c'est-à-dire à les exclure du conscient et à les refouler dans l'inconscient.

L'amour et l'hostilité œdipiens disparaissent alors, ce qui supprime en apparence le conflit anxiogène, mais il en résulte, on le comprendra sans peine, une très importante altération de la vie affective.

On a vu que le refoulement est un processus global, ignorant des nuances de la vie psychique, qui réprime en bloc les pulsions instinctives, les sentiments qui s'y rattachent, l'angoisse et la culpabilité en résultant, et jusqu'au souvenir des événements qui ont marqué la vie œdipienne de l'enfant. Cet ensemble refoulé est ce que *Freud* a très justement appelé *un complexe*; c'est une sorte de *corps étranger de l'âme*, que le sujet est porté à nier lui appartenir en propre, mais qui, chargé d'un dynamisme intense, exerce du fond de l'inconscient une influence perturbante sur la vie consciente. La vie œdipienne qui a précédé le refoulement étant par celui-ci chassée de la mémoire, il en résulte des lacunes importantes dans le souvenir, allant jusqu'à ce qu'une période étendue de l'enfance sombre dans l'oubli.

D'autre part ce complexe refoulé tend à accaparer, à détourner vers l'intérieur une bonne partie de l'attention de l'enfant, incapable dès lors de s'intéresser activement aux choses extérieures. De sorte que, par exemple, un enfant ayant un complexe d'Œdipe se comportera à l'école en distrait-absorbé, et son défaut d'attention lui vaudra d'échouer dans ses études. On en a vu un peu plus haut un exemple chez cette fillette de 12 ans qui, ayant été amenée en début de puberté à coucher dans la chambre de ses parents, en avait été si perturbée qu'elle ne travaillait plus en classe.

On a vu aussi que, de par le fait que le refoulement est global, l'interdit sur la sexualité, qui ne concernait initialement que les relations incestueuses et devrait normalement se limiter à celles-ci, s'étend abusivement à toutes les relations sexuelles, même celles qui peuvent se nouer avec des personnes étrangères à la famille. De sorte qu'à la puberté, tandis que l'adolescent qui a dépassé son Œdipe se trouve libre de vivre sa vie instinctive dans des relations étrangères à ses parents, celui qui a refoulé est incapable de se détacher de ses relations œdipiennes premières (quoique refoulées dans l'inconscient et frappées d'interdit), et y retombe quoi qu'il fasse, retrouvant dans toute personne étrangère une identification de son père ou de sa mère, et par là interdite au même degré. On sait par exemple qu'un garçon en situation de complexe d'Œdipe, une fois adolescent, verra dans toute femme un substitut de sa mère et se révélera impuissant sexuel, en vertu de l'interdit de l'inceste. De même pour une fille dans cette situation, toute union sexuelle heureuse sera impossible de par le fait que tout homme symbolise pour elle le père.

On a vu que les formations réactionnelles du Moi complètent d'ordinaire le refoulement des pulsions interdites en leur substituant dans le conscient les tendances exactement contraires, processus qui devient pathologique quand il aboutit à des prises de position rigides. C'est ainsi qu'il faut opposer à la pudeur normale, réaction contre l'exhibitionnisme des premières années, la pudeur excessive des inhibés; nous avons donné plus haut le cas de cette fillette qui, à l'âge de 10 ans, se montrait volontiers nue devant son père en lui disant : « Regarde les beaux petits seins que j'ai! », et qui, un an plus tard, par suite d'un refoulement pathologique, en était venue à se comprimer la poitrine avec un bandage parce qu'elle avait honte de la voir grossir. Plus encore le cas déjà cité de cette fillette de 7 ans qui, après avoir manifesté de fortes tendances érotiques et sadiques-anales, avait en quelques mois acquis des rituels d'ordre et de propreté, ainsi qu'un sentiment de pudeur rare à cet âge, disant notamment : « Je voudrais que toute la partie du corps entre le nombril et les genoux n'existe pas car elle ne sert qu'à des choses sales. »

Cette même fillette, alors que sa mère voulait l'informer de ce qu'était la vie sexuelle, se bouchait les oreilles avec les mains pour ne pas entendre. Ce *refus d'être informé* est le signe le plus évident de l'interdit qui accompagne le refoulement. Quand d'aventure de tels sujets ont eu à connaître des réalités sexuelles, leur interdit les conduit à scotomiser le souvenir qu'ils pourraient en avoir. De manière analogue, *Jones* cite le cas d'un jeune homme de 15 ans qui présentait un état régressif, et dont la régression s'expliquait par un désir inconscient de se retrouver à une époque de sa vie où il ne savait encore rien de la sexualité, laquelle était chez lui aussi frappée d'interdit.

Les éducateurs doivent toujours être attentifs aux changements brusques de caractère qui marquent chez les enfants l'apparition d'un complexe d'Œdipe, d'autant que, comme on l'a vu par nos exemples, il y a le plus souvent un contraste saisissant entre la pudeur résultant des formations réactionnelles et l'intensité des manifestations sexuelles qui y avaient préludé. Il n'est pas rare notamment, et nous en avons vu un exemple au Livre I, qu'un enfant très sensuel, très embrasseur, aimant tout particulièrement les contacts physiques avec les siens, en vienne un jour à changer soudainement, à prendre de la distance, allant jusqu'à refuser d'embrasser et d'être embrassé.

c) *L'inversion de l'Œdipe*

Le refoulement des pulsions œdipiennes, complété par les formations réactionnelles contraires, peut aboutir à l'*inversion de l'Œdipe.*

On a vu en effet que l'ambivalence des sentiments œdipiens est un fait constant à l'état normal, que les deux situations contraires de l'Œdipe positif et de l'Œdipe inversé coexistent toujours, ce qui assure d'ailleurs à la personnalité affective un équilibre souple, comme nous l'avons montré.

Mais en cas de complexe, c'est-à-dire de refoulement total, les sentiments de l'Œdipe positif sont rejetés dans l'inconscient, et ce sont les formations réactionnelles de l'Œdipe inversé qui occupent toute la scène consciente.

Il se réalise alors une véritable inversion du sexe, le garçon se comportant comme une fille, et la fille comme un garçon.

Pour juger dans quelle mesure cette inversion est pathologique et peut perturber sérieusement l'avenir de la personnalité en faisant évoluer l'enfant dans un sens qui n'est pas conforme à son sexe, il faut se montrer très circonspect. Il faut en premier lieu se référer à la *prédisposition native*; il est certain que lorsque la composante féminine d'un garçon, la composante masculine d'une fille se trouvent dès le départ être très fortes, le sujet montrera à l'occasion de ses difficultés œdipiennes une forte tendance à l'inversion. Cela se remarque à la morphologie et à l'allure générale; on ne peut qu'être frappé de l'allure garçonnière de certaines filles et de l'allure efféminée de certains garçons de style « petit page ». De même on note chez les filles une recherche particulière de la société des garçons et de leurs jeux, et chez les garçons une recherche de la société des filles et de leurs occupations préférées.

En second lieu, il faut apprécier l'importance des facteurs qui ont provoqué l'inversion de l'Œdipe. Chez le garçon, la crainte de castration, liée à la culpabilité des sentiments œdipiens, liée aussi possiblement à l'attitude de la mère ou du père, est souvent décisive dans cette inversion. Le garçon refoule son agressivité contre le père et son attrait incestueux envers la mère; il abandonne donc la prétention de posséder un organe viril pareil à celui du père, il accepte la castration fonctionnelle (pour ne pas la subir réelle), et au lieu d'avoir vis-à-vis de son père une attitude virile et active, d'entrer en compétition avec lui et de s'y identifier, il adopte comme s'il était une fille une attitude de soumission tendre et passive. Il arrive d'ailleurs aussi parfois, et cela donne le même résultat, que le parent castrateur soit non le père, mais la mère, lorsque c'est elle qui, comme l'on dit, « porte les culottes », s'impose à un mari trop faible, et qu'alors l'identification du garçon à son père a tous les caractères d'une identification féminine.

Chez la fille, la crainte de castration est remplacée par la crainte de perdre l'amour de la mère, et avec celui-ci la sécurité, comme punition de ses sentiments agressifs. Ajoutons que son désir d'être unie sexuellement au père ne va pas sans entrave, car elle se fait souvent une conception sadique de l'acte sexuel, d'autant plus craint qu'il est plus désiré. Son identification à un garçon représente donc ici un refus de la condition féminine.

Les éducateurs doivent se garder en pareil cas de conclure trop hâtivement à une inversion définitive de la sexualité. La situation peut se normaliser par le seul progrès de la croissance. On ne devra craindre une évolution vers l'homosexualité que dans les cas où l'enfant ne montre avant la puberté et à la puberté aucune espèce d'attrait pour les sujets de l'autre sexe. Ainsi on s'attend à ce qu'une fillette qui ne se plaisait qu'avec les garçons et à leurs jeux change d'attitude à la puberté et épanouisse sa féminité en cherchant à séduire ses partenaires masculins; l'évolution anormale serait que cette fillette soit alors en rivalité avec les garçons et adopte vis-à-vis des autres filles une attitude de domination et de séduction active.

d) *La régression*

Nous ne reviendrons pas ici sur l'importance générale du mécanisme régressif, déjà exposée au Livre I. Mais nous allons montrer le rôle particulier de la régression dans le complexe d'Œdipe. Lorsque le conflit œdipien cause une angoisse et une culpabilité telles que le Moi de l'enfant ne peut les supporter, il y a, comme on l'a vu, refoulement des pulsions censurées. Mais ce refoulement peut ne pas être suffisant pour apaiser le conflit, lequel reste alors toujours actuel. En pareil cas, l'enfant tend à régresser vers les stades pré-génitaux, à une époque de sa vie où le conflit œdipien n'avait pas encore surgi. Comme nous l'avons dit, plus la personnalité est immature, plus elle a conservé des points de fixation dans les toutes premières années, plus facilement se produira la régression à ces époques-là. Deux sont, on l'a vu, privilégiées de par leur importance : la *phase orale* et la *phase anale*.

Quand il y a régression à la *phase orale*, les relations œdipiennes s'expriment en termes d'oralité. L'enfant conçoit les rapports intimes de ses parents comme un repas; il pourra s'imaginer par exemple que l'un des deux donne à manger à l'autre, ou même, en termes de rapprochement intime, que le père tète la mère ou bien que la mère mange le pénis du père (ce qui est d'ailleurs la même chose pour qui sait l'équivalence fréquemment établie par les enfants entre le sein et le pénis). L'enfant concevra de même la fécondation comme s'opérant par la bouche et la sortie du bébé par l'anus. Il faut aussi savoir qu'à ce stade, toute union avec une autre personne est pensée comme une incorporation, et qu'en particulier le fantasme d'être dévoré peut signifier pour l'inconscient être possédé sexuellement, par exemple d'une petite fille à l'égard de son père, ce qui fera l'objet, selon les circonstances, d'une satisfaction érotique ou d'une crainte anxieuse. La culpabilité en rapport avec l'Œdipe se transpose alors dans la sphère orale sous la forme du châtiment de dévoration ou d'une mort par empoisonnement. On verra plus loin que cette crainte de mourir en avalant est le symptôme essentiel de certains cas de dysphagie anxieuse qui sont en rapport direct avec un refoulement de l'Œdipe chez des jeunes filles en début de puberté.

Le Moi, s'il n'a pas régressé en même temps que les pulsions œdipiennes, ne peut que s'insurger contre ces représentations orales de la sexualité, surtout lorsqu'elles sont teintées de sadisme agressif. Il y a alors refoulement de l'oralité et formations réactionnelles contraires. On comprend que, lorsque absorber de la nourriture signifie pour l'inconscient l'acte sexuel interdit, cette absorption puisse être à son tour interdite et qu'il puisse en résulter un dégoût de la nourriture, une anorexie; ainsi, *Anna Freud* a montré que l'*anorexie de la jeune fille* pouvait dans certains cas relever d'un désir sexuel d'union avec le père, lequel, par régression, s'exprime sous la forme d'une dévoration du pénis paternel, ce qui, censuré par le Moi, peut s'inverser en dégoût, et par extension en un dégoût général pour toute ingestion quelle qu'elle soit. De la même manière, la croyance que la fécondation s'opère par voie orale peut aussi, si cette fécondation est interdite comme coupable, déterminer un refus persistant de nourriture. Nous eûmes ainsi à soigner une fillette de 11 ans qui refusait toute nourriture sous l'influence d'une reviviscence de son complexe d'Œdipe, lequel avait été très fort; or, cette fillette, qui jusque-là ne se couchait jamais le soir sans embrasser le portrait de son père défunt, pour lequel elle avait eu une véritable adoration, depuis sa maladie se refusait à le faire, alléguant qu'il y avait de la poussière dessus. L'analyse révéla que cette fillette se faisait une conception orale de la grossesse et craignait d'être enceinte des œuvres de son père pour avoir souvent embrassé son portrait, crainte qui était bien entendu le négatif d'un fort désir œdipien.

Quand il y a régression à la *phase anale*, les relations œdipiennes s'expriment en termes de sadisme anal. Les rapports intimes sont alors imaginés comme une pénétration anale, à la faveur d'ailleurs d'une reviviscence de l'érotisme de cette zone. Uriner est ressenti comme un équivalent de l'éjaculation, et très souvent l'enfant atteint d'énurésie nocturne reproduit inconsciemment par là l'acte sexuel des parents.

Ajoutons que la sexualité régressée à ce stade a toujours un caractère sadique : l'acte sexuel apparaît comme une agression et, à la limite, tuer une personne peut signifier régressivement jouir d'elle en amour.

Ici encore, chez des enfants très jeunes, ou ce qui revient au même chez ceux dont le Moi immature a suivi les pulsions dans leur régression, la personnalité peut jouir de la situation et exprimer les tendances anales avec une complaisance voluptueuse.

Par contre chez les enfants dont le Moi a mûri et n'a pas suivi les tendances dans leur régression, mais s'est maintenu au niveau culturel déjà atteint, adoptant les cadres moraux et esthétiques de la société, il n'est plus possible de supporter le caractère sale, voire répugnant des représentations sadiques-anales. Le Moi les refoule donc et développe des formations réactionnelles contraires, dont nous avons vu déjà des exemples; c'est en pareil cas surtout qu'apparaissent les manies de propreté si fréquentes. La sexualité est alors considérée par ces sujets-là comme une chose sale, et c'est bien entendu exact pour eux.

Il n'est pas rare que les deux aspects de la régression coexistent, l'aspect positif et l'aspect négatif. Par exemple un jeune homme de 15 ans, dont le père est infirme, se montre depuis quelque temps très agressif envers sa mère, la couvre de reproches, la traite de noms orduriers, tout en exigeant de coucher dans son lit (ce qu'il avait fait jusqu'à l'âge de 10 ans), sous le prétexte que le sien est sale. Il est très remarquable que depuis la même époque, ce jeune homme a des manies de propreté : il se lave sans cesse les mains et ne veut pas que personne le touche, arguant que les gens sont sales; il ne boirait pour rien au monde dans le verre d'un autre; il veut tous les soirs des draps propres. Sans entrer dans les détails, nous pouvons dire qu'il y a chez ce jeune homme une inversion de l'Œdipe et une régression au stade anal qui lui fait craindre pour lui-même la souillure susceptible de le féconder (comme s'il était une fille). Soulignons que les troubles actuels ont débuté à la suite du geste d'un compagnon de travail, homme grossier, qui a uriné ostensiblement sur une planche pour la donner ensuite à transporter au jeune homme que cette manière de faire a profondément choqué, précisément parce qu'elle symbolisait pour lui une agression homosexuelle.

Nous retrouverons au chapitre suivant ce problème de la régression de l'Œdipe au stade anal, avec formations réactionnelles contraires, qui est l'élément essentiel d'une névrose très répandue : la névrose obsessionnelle.

2. LES CONFLITS DE RIVALITÉ FRATERNELLE

Nous avons insisté sur ce que les conflits de rivalité fraternelle, quand ils s'expriment d'une manière franche, appartiennent à l'ordre normal, et qu'ils peuvent contribuer à la maturation de la personnalité en permettant ultérieurement la sublimation des pulsions agressives.

Par contre, quand il y a refoulement et inhibition, la rivalité fraternelle disparaît du champ conscient, et si très souvent les parents s'en réjouissent en disant de l'enfant : « Il n'est pas du tout jaloux de ses frères et sœurs et ne se dispute jamais avec eux », il faut souligner que les pulsions de rivalité ne sont pas pour autant abolies, mais qu'elles ont pris un cours souterrain, de sorte que le conflit est transporté dans l'inconscient, déterminant ce que nous avons appelé [1] les *formes masquées* de la rivalité, formes masquées qui, comme nous allons le voir, sont pathologiques.

a) *La rivalité fraternelle refoulée*

Un certain degré de refoulement de l'agressivité est normal, on l'a vu. Mais il se constitue par contre un état pathologique quand le refoulement en vient à inhiber toute l'activité pulsionnelle et que l'enfant est alors atteint dans son dynamisme vital même : il manque d'allant, d'audace, et de créativité; dans toutes les circonstances où il lui faudrait combattre pour s'affirmer, il renonce d'emblée à la bataille; il renonce de même à la compétition et, comme l'on dit, il part battu, cédant toujours la première place aux autres.

En pareil cas, la conduite de l'enfant envers sa fratrie, et par extension envers ses camarades, est dénuée de toute agressivité apparente. Davantage encore, de par l'intervention complémentaire des formations réactionnelles, l'agressivité est ici remplacée par son inverse : la gentillesse affec-

[1] *Psychopathologie de la rivalité fraternelle* (Dessart).

tueuse de l'enfant à l'égard de son frère, à qui il cède toujours, et une complète docilité à ce qu'exigent les parents.

Comme on l'a vu, le refoulement étant un processus dynamique, qui subit des variations selon la force respective des pulsions et du Moi qui les contrôle, il peut arriver qu'il cède sous diverses influences, par exemple sous l'influence d'une explosion de colère; on voit alors se produire un brusque défoulement qui fait reparaître momentanément la pulsion interdite en un saisissant contraste avec le comportement habituel du sujet. Ainsi un jeune garçon de 10 ans, à l'ordinaire très gentil avec sa petite sœur de 8 ans, a parfois des accès de colère au cours desquels il la frappe, et reproche à sa mère de la préférer.

Nous touchons là au problème de la *pseudo-agressivité*, qui est une réaction contre le refoulement. Lorsqu'en effet un enfant qui a refoulé son agressivité en vient à éprouver de sa conduite de douceur passive un sentiment de honte, il arrive qu'il réagisse à ce sentiment par une conduite de bravade hyperagressive, qui a pour caractère d'être inopportune et inadaptée. Un très bon exemple est celui d'un garçon suivi par nous qui, éduqué par une mère castrante, se comportait en toutes occasions comme un sujet timide, peureux, incapable de se défendre quand on l'attaquait; vers ses 12 ans, un jour, dans la rue, des camarades d'école le prirent à partie en lui disant : « Toi, t'es une nouille; tu ne serais même pas capable de te battre avec un petit de 6 ans! »; il en passait justement un sur le trottoir d'en face; notre garçon, le rouge de la honte au front, traversa la rue et s'en fut frapper le petit garçon, le blessant.

Une telle observation nous montre par surcroît combien il peut être dangereux d'inhiber des pulsions. Car si se battre à la loyale pour triompher d'un adversaire est une chose saine, par contre les actes pseudo-agressifs, n'étant nullement motivés par une raison valable, ont d'ordinaire un caractère d'inopportunité et de violence qui peut entraîner de très fâcheuses conséquences.

b) *Le retournement contre soi*

On a vu que ce mécanisme de défense substitue à l'agression la dépression. Ici encore les manifestations de la rivalité sont absentes. L'enfant déprimé a vis-à-vis de ses frères et sœurs un comportement qui est à l'opposé du comportement agressif. La raison en est que, de par l'existence d'un Surmoi très sévère, la moindre marque d'hostilité envers autrui déclenche chez l'enfant d'intenses sentiments de culpabilité qui le font aussitôt battre en retraite.

Un tel enfant a tendance, non à critiquer ni à déprécier les autres, mais à se critiquer et à se déprécier lui-même, à se dévaloriser. Il se trouve bête et laid, inférieur aux autres. Son humeur habituelle est grincheuse et triste. Il se croit toujours coupable, même quand il n'a pas fait de faute, au point qu'il lui arrive de se troubler et de pleurer quand on gronde les autres.

Un tel enfant n'est pas heureux. Il est toujours anxieux aussi de ce qui peut arriver, accidents ou maladies, à quelqu'un de sa famille. Il se croit indigne de l'affection des siens, et il craint qu'on ne le rejette. Aussi s'efforce-t-il de se conduire d'une manière exemplaire et va-t-il jusqu'à s'imposer des corvées, des privations pour regagner un peu d'amour.

Comme on l'a vu à propos du complexe d'Œdipe, ce retournement contre soi entraîne souvent une névrose d'échec, qui barre d'emblée la route à tous les progrès. Il n'est pas rare d'ailleurs que les deux situations se renforcent l'une l'autre, et que la culpabilité œdipienne s'ajoute à la culpabilité de la rivalité fraternelle.

c) *La régression*

Quand un conflit de rivalité suscite dans l'âme de l'enfant une angoisse très vive, et que par surcroît la personnalité est restée fixée pour une bonne part à un stade antérieur, la défense du Moi peut faire cesser l'angoisse et la culpabilité actuelles en reportant le sujet à un stade antérieur, par exemple à une époque de sa vie où il n'avait pas encore de petit frère et où, par conséquent, ne pouvait exister aucun sentiment de rivalité.

La régression idéale est évidemment celle qui reporte l'enfant à l'époque particulièrement heureuse du début de la vie, quand il jouissait sans aucun conflit de la protection maternelle. Redevenir bébé est, on le sait, le désir inconscient de beaucoup d'enfants, et cette nostalgie du bonheur paradisiaque des premiers mois est même au cœur de plus d'un adulte. Il est très remarquable que lorsqu'on pose à des enfants, et même à des adolescents la question de notre *Test de l'Age d'Or :* « A quel âge crois-tu que les enfants sont le plus heureux? », un nombre important d'entre eux répondent : « Tout petits », avec des attendus variés qui se ramènent tous à l'affirmation « qu'on est mieux aimé petit, qu'on est plus choyé, qu'on n'a pas à partager avec les frères et sœurs l'affection de la maman » [1]. Il ne s'ensuit pas pour autant que ce désir soit pathologique. Seule mérite ce nom la situation régressive totale qui fait revivre durablement chez un enfant des conduites de bébé et arrête tous ses progrès; situation d'autant plus grave dans ses conséquences qu'on a affaire à un sujet plus âgé, donc plus patho-

[1] *Le test de l'âge d'or en pratique médico-psychologique*, par L. Corman, G. Corman, J. Dantec et F. Foulard (Neuro-psychiatrie infantile, Mai-Juin 1960).

logique lorsqu'on l'observe chez un adolescent que chez un enfant.

La régression se double très souvent d'une *identification au rival nouveau-né*. Il faut en effet considérer que la naissance d'un petit frère suscite chez l'aîné une jalousie intense, avec des sentiments d'hostilité très marqués qui se traduisent souvent par un refus de regarder le bébé et des épithètes dépréciatrices. « C'est rouge, ça crie et ça pue » disait ainsi le *petit Trott* de *Lichtenberger*. Mais on conçoit qu'il est presque impossible à un enfant de maintenir de tels sentiments, qui seraient d'ailleurs, s'ils s'exprimaient, sévèrement censurés par les parents. Aussi voit-on bientôt se substituer à la phase d'hostilité ou d'indifférence une phase d'adoration : « Il n'est pas jaloux de son petit frère; il l'adore » disent les parents. Et il est bien vrai que l'aîné met alors le bébé sur un piédestal, ne tarit pas d'éloges sur sa beauté, sa gentillesse, et l'entoure de petits soins. Cette attitude est en réalité le résultat d'une *identification.*

Il est facile de le prouver. En premier lieu, il faut souligner la *revendication d'égalité* si fréquente en pareil cas : le grand veut être aimé, câliné comme le petit frère; il réclame les mêmes parts que lui et, alors qu'il n'aimait plus le lait, il demande à nouveau des biberons. Si d'aventure le bébé est malade, le grand voudra le même sirop, les mêmes suppositoires que lui. Dans cette situation de rivalité, les enfants portent souvent à un très haut degré le sentiment de la justice des parts égales : l'un d'eux exige que le soir au coucher sa mère passe auprès de lui le même temps qu'auprès de sa sœur; un autre ira jusqu'à demander d'aller en pension parce que son frère y est, et la raison en est qu'ayant appris que cela coûtait cher, il veut qu'on fasse la même dépense pour lui que pour son rival.

En second lieu, l'identification se trahit dans la manière

dont le grand prend fait et cause pour le petit, *participant* intensément à tout ce qui arrive à celui-ci. Si le petit est grondé et pleure, le grand se met à pleurer aussi; s'il tombe malade, l'autre est malade également ou du moins croit l'être et veut le faire croire. Le Dr *Baudoin* cite ainsi le cas d'une fillette atteinte de toux nerveuse, et que sa petite sœur de 6 mois imitait en toussant aussi; dès que cette petite fut en âge de parler, elle expliqua pourquoi elle toussait : c'était parce que *quand la grande sœur tousse, maman a peur et le docteur vient.*

Certaines remarques d'enfants, qui ont un caractère altruiste très net, sont à base d'identification. Ainsi un garçon de 5 ans, dont le petit frère Paul, de 14 mois son cadet, est un jour menacé d'une fessée pour son opposition têtue, intervient anxieusement en disant : « Paul veut bien, maman, Paul dit oui! »

On a vu au Livre I que, pourvu qu'elle soit d'un degré modéré et qu'elle ne soit que passagère, cette identification à un tout petit est dans l'ordre normal, expliquant en particulier les très fréquents caprices enfantins, la revendication de câlineries, le tétage du pouce, l'énurésie nocturne, qu'on voit se manifester en pareil cas chez les grands après la naissance d'un petit frère.

Cette régression avec identification au rival nouveau-né est par contre pathologique quand elle se prolonge et qu'elle affecte tous les secteurs de la personnalité, transformant à la lettre le grand en un bébé. Si cela se produit à l'âge scolaire, se traduisant par la passivité, le refus de l'effort, la tendance à la rêverie, un manque total de désir d'apprendre, on doit s'attendre à de mauvais résultats dans les études contrastant d'ordinaire avec la bonne intelligence du sujet.

Il convient de noter au terme de cette étude que tous ces

mécanismes de défense contre la rivalité fraternelle sont inconscients, et qu'en conséquence, si l'on demande à l'enfant pourquoi il se comporte comme il le fait, il est incapable de le dire. Aux parents de le deviner, tout particulièrement dans les cas où les anomalies du comportement sont apparues après la naissance d'un petit frère et où la succession des événements incite à conclure à leur filiation causale.

CHAPITRE IV

LES NÉVROSES

Nous avons déjà, par l'étude des Conflits pathologiques au chapitre 3, abordé les *Névroses*. Il importe ici d'en donner une description plus complète.

On a vu que le moteur premier de toute névrose, c'est l'*angoisse*, l'angoisse du Moi aux prises avec des pulsions qu'il ne peut parvenir à sublimer et qu'il doit cependant à tout prix contenir parce qu'elles mettraient en péril l'équilibre de la personnalité et son adaptation.

L'angoisse est donc constamment présente dans les conflits névrotiques, mais elle ne se manifeste pas toujours par des signes évidents, puisque précisément la défense du Moi intervient pour y pallier.

Remarque importante à l'adresse des éducateurs : il est habituel qu'on s'alarme surtout devant des manifestations anxieuses bruyantes, du fait que l'enfant souffre et fait partager sa souffrance à l'entourage, alors qu'on ne s'inquiète guère de manifestations plus silencieuses dues à l'intervention de la défense du Moi et qui peuvent cependant indiquer parfois un trouble beaucoup plus profond et beaucoup plus durable.

Une autre remarque est d'importance aussi : c'est qu'on ne doit pas s'attendre à constater chez l'enfant des névroses nettement caractérisées, de symptomatologie fixe, comme chez l'adulte. Le dynamisme de la croissance opère souvent des remaniements, et l'intrication des conflits, de même que l'intervention de mécanismes de défense variés, ont pour conséquence, d'une part des mélanges de caractères névrotiques, d'autre part l'évolution possible d'une névrose vers une autre, ce qui, soit dit entre parenthèses, interdit le plus souvent qu'on puisse prévoir le passage d'une névrose infantile à une névrose adulte de même type.

Ces réserves faites, nous décrirons toutefois les principaux types de névroses chez l'enfant.

I. NÉVROSE D'ANGOISSE

Dans cette forme de névrose, l'angoisse est au maximum et domine le tableau clinique.

Comme on l'a vu au Livre I, l'enfant ne se maintient pas longtemps dans le bonheur paradisiaque de ses premiers mois. Très tôt, dès la fin de la première année, il va connaître l'angoisse, l'angoisse des dangers qui le menacent, tant de l'extérieur que de l'intérieur.

Nous avons parlé de l'angoisse dite du 8e mois, qui surgit devant un visage étranger, ressenti comme hostile. La période qui suit, où l'enfant accède peu à peu à une indépendance croissante et où il affronte par conséquent nombre de dangers extérieurs, est fertile en manifestations anxieuses, on l'a vu. La peur de l'obscurité, la peur de la rue, la peur des bêtes, la peur des personnes étrangères, autant de peurs très fréquentes et qu'on ne saurait considérer comme anormales, puisqu'elles répondent à des dangers réels, et qu'il suffit de protéger l'enfant contre ces dangers pour faire cesser la peur.

Plus mystérieuse est l'angoisse devant le danger intérieur des pulsions. On sait en particulier que la phase active de la croissance, dénommée par les psychanalystes sadique-orale et sadique-anale, comporte souvent une forte agressivité contre l'entourage, agressivité qui, à ce début de la vie, se retourne volontiers en talion, l'enfant craignant alors les représailles des tout-puissants parents qui vont le punir pour sa « méchanceté ». C'est, on le sait, l'âge où apparaissent les *terreurs nocturnes*, cauchemars terrifiants où l'enfant vit à nu la menace des puissants, soit sous l'aspect de grands bonshommes, soit sous l'aspect de bêtes fauves.

C'est aussi l'âge où se manifestent les *phobies*, qui apparaissent au premier abord comme des peurs de dangers extérieurs (peur de l'obscurité, peur des araignées, des serpents, peur de l'orage, peur d'être empoisonné... etc.). Mais l'intensité insolite de ces peurs et leur persistance même quand il semble n'y avoir aucun des dangers redoutés, nous indiquent qu'un processus inconscient est ici à l'œuvre, par lequel le danger intérieur des pulsions interdites est symbolisé par un danger extérieur. Ainsi l'obscurité de la nuit symbolise la perte de la protection parentale, perte que l'enfant redoute pour sa méchanceté. La peur des animaux est souvent le choc en retour de l'agressivité, par exemple la peur d'être mordu étant la contrepartie du désir agressif de mordre. Une autre phobie fréquente, la crainte de rougir en public *(éreutophobie)* est liée à un sentiment de culpabilité inconscient.

L'angoisse s'exprime aussi très souvent par *une crainte*

qu'il n'arrive un accident à des proches, par exemple à un petit frère ou à un des parents. Quand une telle inquiétude n'est aucunement justifiée par des dangers réels et qu'elle s'impose à l'enfant d'une manière obsédante sans pouvoir être raisonnée, elle est pathologique et représente une défense du Moi par retournement en contraire de la pulsion agressive; cette crainte vise en effet un proche à l'encontre duquel l'enfant éprouve une forte hostilité, hostilité que la censure interdit.

Fréquente aussi est *l'angoisse de la mort*, s'exprimant à l'occasion du malaise le plus anodin et déterminée, ici encore, par le retournement contre soi des pulsions agressives. Particulière est la crainte de mourir en s'étranglant ou en absorbant par mégarde un aliment empoisonné; c'est une crainte spécifique de la phase orale, souvent liée à la culpabilité œdipienne par l'intermédiaire d'un processus régressif qui transpose les pulsions sexuelles interdites sur le plan de l'oralité, la culpabilité se traduisant alors par une crainte orale.

Nous avons vu au Livre I que ces manifestations d'angoisse de l'enfance, quand elles se présentent sous une forme atténuée et transitoire, appartiennent à la condition normale de l'être humain. On ne doit les considérer comme pathologiques, et comme pouvant éventuellement constituer le point de départ d'une névrose ultérieure, que si elles sont très intenses et très durables.

La présence rassurante d'un adulte en qui l'enfant a confiance peut beaucoup pour apaiser cette angoisse. *On ne devra donc pas gronder un enfant anxieux, critiquer ses craintes comme étant sans fondement, mais tout au contraire le réconforter et lui apporter une aide.* Mais il est bien évident que dans les cas pathologiques, une telle aide ne saurait suffire, et qu'alors l'angoisse ne peut disparaître que si l'on parvient à en supprimer la cause profonde.

2. HYSTÉRIE DE CONVERSION

Si l'angoisse de l'enfance se laisse en général assez facilement rattacher à sa cause, même inconsciente, il est par contre une catégorie de symptômes qui déconcertent les parents et même les médecins : ce sont les symptômes de *conversion somatique*. Leur genèse s'explique par le refoulement, en ce que ce processus, faisant disparaître du conscient un conflit particulièrement anxiogène, le transporte *via inconscient* dans la sphère corporelle, où il s'exprime par des troubles qui font au premier abord penser à une maladie organique.

On observe alors les symptômes les plus variés : anesthésies diffuses ou localisées, paralysies, cécité ou surdité, anorexie, vomissements, troubles intestinaux... etc. Si les éducateurs doivent être avertis de l'existence de ces troubles psychosomatiques, ce n'est pas, à vrai dire, qu'ils puissent être en mesure de les dépister eux-mêmes. Il faut pour cela un examen médical approfondi qui, ne décelant pas de lésion à l'origine des symptômes, est amené à en déduire que lesdits symptômes sont uniquement conditionnés par une perturbation psychique, laquelle restera dès lors à découvrir. Cependant l'intuition de parents attentifs peut quelquefois leur permettre de pressentir la situation, en se fondant soit sur la production des symptômes après un choc psychologique, soit sur l'intensité de l'angoisse qui les accompagne.

Voici par exemple le cas d'un garçon de 15 ans qui nous est amené pour des « crises nerveuses ». Tout récemment, étant en classe, il a ressenti un engourdissement de la main et du bras droits et n'a pu continuer à écrire. Cela s'est passé, mais le garçon en est très inquiet et il a peur d'être paralysé. Sans entrer dans le détail du cas, disons que cette crainte répondait à une forte culpabilité en rapport avec les attouchements sexuels, la mère de ce garçon étant une alcoolique qui jusqu'à ces derniers temps le faisait coucher dans son lit, ce à quoi il se refuse maintenant, en étant venu à se révolter contre ses propres tendances incestueuses que la mère excite.

On voit fréquemment chez des jeunes filles en début de puberté une *difficulté de déglutition* qui est la *somatisation* du conflit sexuel. L'élément anxieux y est en général très marqué, et ces jeunes filles craignent, soit d'avaler de travers et de mourir étouffées, soit d'être empoisonnées par ce qu'elles mangent. En bref, l'analyse montre qu'il existe chez ces jeunes filles un fort complexe d'Œdipe, lequel est l'objet d'une régression de défense qui le reporte au stade oral. En cas de fixation orale, la vie sexuelle, on l'a vu, est conçue par le sujet sur un mode oral, c'est-à-dire que la fécondation est considérée comme s'opérant par l'ingestion de quelque chose. La culpabilité des désirs œdipiens entraîne alors par retournement en contraire une crainte d'être fécondée sur le mode oral, ce qui pourrait entraîner un châtiment grave, puisque interdite. Le spasme pharyngé qui entrave la déglutition exprime cette crainte et ce refus dans le langage somatique.

Théoriquement, dans l'hystérie de conversion, la transposition d'un conflit anxiogène en manifestation organique devrait supprimer l'angoisse puisque celle-ci est refoulée, et le fait est que la plupart des hystériques ne sont pas anxieux. Mais il peut arriver, et c'est le cas des dysphagiques anxieux, que l'angoisse persiste malgré la régression. Il faut à ce sujet remarquer que chez les jeunes sujets, comme nous l'avons dit en débutant, les névroses se présentent souvent, non pas sous les formes pures qu'on voit chez l'adulte, mais comme des associations de plusieurs états névrotiques.

Mentionnons encore, comme ayant une particulière fréquence, le symptôme de conversion que représente l'*énurésie* diurne ou nocturne. Cette énurésie répond à une fixation au stade sadique-anal, par la persistance de l'érotisme de cette période. Elle peut assez souvent remplacer les activités sexuelles réprimées, entre autres la masturbation, et exprimer inconsciemment le désir sexuel, ce qui nous explique pourquoi ce symptôme est particulièrement fréquent chez les enfants qui sont maintenus trop longtemps dans la chambre des parents, avec tout ce que cela peut comporter d'excitation et de désir culpabilisé.

3. NÉVROSE OBSESSIONNELLE

C'est une des plus remarquables acquisitions de la psychanalyse d'avoir découvert *l'origine de la névrose obsessionnelle dans le refoulement des pulsions sadiques-anales*. Mais il n'est aucun domaine où se fasse plus fortement sentir la résistance du public à la compréhension de la psychologie des profondeurs. Comment admettre en effet que cet homme, que cette femme si propres, si ordonnés, soient ainsi par une réaction contre des tendances contraires à la saleté et au désordre qu'ils auraient montrée avec une force singulière dans leur enfance ? Et pourtant il en est bien ainsi. Lorsqu'en effet le stade sadique-anal est vécu avec intensité et que, pour diverses raisons, il est l'objet d'un point de fixation, il advient que le Moi, évoluant, acquiert des exigences de socialisation qui ne cadrent plus avec lesdites pulsions, le conduisent à les refouler et à leur substituer des formations réactionnelles d'ordre et de propreté.

On a vu au chapitre précédent qu'en cas de complexe

d'Œdipe, il se produit très souvent une régression, soit au stade oral, soit au stade sadique-anal. Dans ce dernier cas, le Moi, d'ordinaire, se révolte contre les représentations choquantes qui s'offrent à la conscience, la relation amoureuse s'exprimant alors d'une manière ordurière ou sadique, qui peut aller jusqu'à l'imagination du meurtre. Le conflit entre un Moi évolué, ayant acquis des cadres esthétiques et moraux, et les pulsions sexuelles régressées au stade sadique-anal est le facteur essentiel de la névrose obsessionnelle. Le névrotique obsessionnel ne se présente donc pas comme un sujet sale, désordonné, agressif et destructeur, comme s'il donnait libre cours à ses pulsions. Tout au contraire, c'est un sujet méticuleux, consciencieux, ordonné et propre jusqu'à la manie, dont la vie entière est dirigée par des emplois du temps rigoureux et obéit en tout à des règles de moralité très strictes.

L'étonnement est grand de constater que cette régulation rationnelle est perturbée par de continuelles *obsessions*, lesquelles trahissent la résurgence des pulsions refoulées, et ont précisément un caractère sadique ou ordurier, en contraste complet avec les pensées conscientes du sujet, comme on l'a vu. Par exemple un homme jeune, dont le complexe d'Œdipe s'était traduit par une méconnaissance totale de la réalité sexuelle et par une complète impuissance dans le mariage, avait opéré une régression au stade sadique-anal, avec des formations réactionnelles contraires qui avaient fait de lui un névrosé. C'est ainsi que, dans son esprit, l'acte sexuel était considéré comme l'action de « pisser dans le ventre d'une femme », ce qui le choquait profondément. Or cet homme, d'un caractère consciencieux, ordonné, soumis aux règles, scrupuleux à l'extrême dans l'exercice de ses devoirs religieux (il communiait presque tous les jours), était continuellement assailli par des obsessions ordurières, s'imaginant par exemple qu'après avoir communié, il avait recraché l'hostie et l'avait jetée dans les cabinets.

Soulignons que chez le jeune enfant, à l'époque du stade sadique-anal, il est très fréquent de noter quelques manifestations de névrose obsessionnelle. Celles-ci traduisent bien évidemment une lutte précoce du Moi contre les pulsions agressives et ordurières de ce stade. C'est l'âge des manies et des rituels, vers 2, 3 ou 4 ans; c'est l'âge où l'enfant, côte à côte avec sa saleté et son désordre, manifeste des exigences méticuleuses, un goût bizarre d'ordre et de collectionnisme, des rituels au moment du coucher. Il ne faut nullement en conclure que cela prélude au développement ultérieur d'une véritable névrose. Le plus souvent cela se dissipe une fois passé le stade sadique-anal. Mais on sera cependant autorisé à penser à un état pathologique lorsque les signes en question sont particulièrement intenses et durables, car cela indique une fixation à ce stade, et l'on sait déjà qu'au moment du dépassement de l'Œdipe, s'il y a accrochage, le sujet court le risque de régresser au point de fixation sadique-anal, condition déterminante d'une névrose obsessionnelle, comme nous venons de le voir.

4. NÉVROSE ASTHÉNIQUE

Nous avons mentionné déjà que le conflit opposant le Moi aux pulsions a presque toujours pour effet une diminution importante de la force d'expansion vitale, diminution qui se traduit par de l'*asthénie*. Cette asthénie est donc un symptôme commun à toutes les névroses. Cependant il est des cas où elle domine la scène clinique, et les éducateurs doivent être informés de sa fréquence, ainsi que des signes par lesquels elle se manifeste.

Il s'agit à la fois d'asthénie physique et d'asthénie psychique. Sur le plan physique, elle se traduit par une fatigabilité anormale, qui débute dès le matin, avant tout effort (ce qui prouve qu'elle n'est pas due à celui-ci), une lassitude particulière dans les membres, qui fait rechercher la position couchée, qui rend le lever pénible, une paresse fonctionnelle se manifestant en particulier par une absence d'appétit et une difficulté de la digestion.

Sur le plan psychique, l'asthénie se traduit par une incapacité particulière de l'effort mental, une fragilité de l'attention, un défaut de mémoire et une impuissance à créer, tout cela s'accompagnant d'ordinaire de maux de tête peu intenses, mais persistants.

L'asthénie va bien entendu avec une régression qui fait rechercher le milieu de protection des premiers temps de la vie.

Cette névrose est fréquente, même chez l'enfant normal, et elle se manifeste alors d'une manière épisodique seulement dans les périodes de difficultés. Elle est pathologique quand elle se montre avec une grande intensité et une durée très prolongée.

En guise de conclusion à ce chapitre, nous dirons que parents et éducateurs pourraient à bon droit se demander pourquoi nous exposons ici le problème des névroses, alors que ce problème ne saurait être résolu par des moyens à leur portée.

Notre réponse est de rappeler qu'il y a toutes les transitions possibles entre l'état normal et l'état pathologique, et qu'en conséquence il est nécessaire de sensibiliser ceux qui ont charge d'enfants aux signes par lesquels se révèlent les troubles nerveux, afin que, d'une part, ils ne soient pas portés à dramatiser des troubles mineurs, amendables par le seul progrès de la croissance avec l'aide de quelque prudence pédagogique et que, d'autre part, ils sachent reconnaître à temps les états plus graves d'inhibition, de blocage, qui requièrent l'intervention d'une psychothérapie.

Quant aux mesures pédagogiques à prendre en pareil cas, il n'est que trop évident qu'elles doivent être préventives. En se reportant au Livre I, on verra ce qu'il convient de faire pour favoriser l'épanouissement des instincts et leur sublimation, et éviter par là l'inhibition qui aboutit au blocage des conflits. Quant à l'attitude que parents et éducateurs doivent avoir en présence d'une névrose enfantine constituée, elle se résume dans un amour patient, qui aide et console l'enfant dans ses difficultés, et qui peut être par là un solide appoint au traitement psychothérapique.

CHAPITRE V

INFLUENCE DES PERTURBATIONS INCONSCIENTES SUR LES PROGRÈS SCOLAIRES

Parents et éducateurs attachent une très grande importance aux progrès scolaires, et l'on sait que *le motif le plus habituel des consultations médico-psychologiques est l'insuccès d'un enfant dans ses études*. Mais comme nous l'avons dit, ce n'est là le plus souvent qu'un symptôme, et il faudra pour y porter remède en découvrir la cause. Or cette cause réside fréquemment dans une perturbation inconsciente, qui agit à l'insu de l'enfant et à l'insu des éducateurs.

Ici encore, notre dessein est de *sensibiliser* tous ceux qui ont charge d'enfants à ce problème du conditionnement possible des insuccès scolaires par des facteurs inconscients, conditionnement auquel il faudra toujours penser quand le progrès dans les études ne suit pas ce qu'on serait en droit d'attendre du niveau intellectuel du sujet.

I. LA SUBLIMATION

Redisons en premier lieu que l'intelligence, ses possibilités réceptives et actives, son dynamisme créateur dépendent pour la plus large part de l'élan fourni par les forces instinctives premières. On a vu en effet que l'activité intellectuelle repose sur un juste équilibre entre les forces expansives, qui donnent l'élan, le goût de progresser, l'esprit de compétition, la créativité, et les forces de conservation, qui freinent cet élan, le disciplinent, le canalisent et, par les formations réactionnelles, assurent à la personnalité une adaptation réfléchie à la réalité.

L'intelligence tire donc en majeure partie sa force vive de la sublimation des pulsions premières qui, comme nous l'avons montré, transforme l'énergie instinctive en la socialisant, tout en gardant intacte sa puissance dynamique.

Comme on l'a vu, la *période de latence*, qui correspond chronologiquement au début de la scolarité, est tout particulièrement favorable pour cette sublimation, du fait d'une certaine désexualisation des pulsions instinctives et d'une maîtrise de plus en plus grande du Moi.

On notera ici qu'il faut que l'enfant soit aidé dans son effort de sublimation par un climat familial d'équilibre et de sérénité, les parents devant se montrer capables d'une vue objective et rationnelle du problème scolaire. Si par contre l'intérêt porté par eux aux études de l'enfant est en quelque sorte « contaminé » par des facteurs affectifs prégnants, il arrive que le travail scolaire cesse d'être une activité autonome, visant comme seule fin l'instruction, pour devenir pour l'enfant surtout un moyen d'expression de la sensibilité. Et si, dans ce sens, il peut être bon jusqu'à un certain point que l'enfant travaille par amour pour ses parents ou pour le maître d'école, il est en revanche très fâcheux qu'il puisse, par besoin d'opposition affective, prendre le contre-pied du désir des parents et refuser de s'instruire.

2. LE REFOULEMENT ET LES FORMATIONS RÉACTIONNELLES

Le *refoulement* et les *formations réactionnelles*, par contre, inhibent cet élan dynamique.

Modérés, ils sont, on l'a vu, nécessaires à la maturation, et s'intègrent dans le processus de sublimation. Nous avons montré en particulier que leur action, lors du dépassement de l'Œdipe, à la phase de latence, entre 6 et 11 ans, permet de tempérer l'activité instinctive et de dériver la majeure partie des forces vers le domaine culturel.

Par contre, lorsqu'ils sont excessifs, de par l'action défensive d'un Moi qui ne peut maîtriser les pulsions instinctives et craint de se laisser déborder par elles, une situation conflictuelle s'établit, qui va apporter une sérieuse entrave à l'exercice des activités scolaires. L'intensité des formations réactionnelles substitue alors partout la règle rigide à la souple spontanéité vitale, et va jusqu'à faire de l'ordre, de la ponctualité et de l'obéissance aux principes des *buts en soi*, au lieu de les utiliser comme *moyens* au service de la créativité.

Au degré le plus accusé, qui s'observe dans les états névrotiques, le refoulement peut déterminer une paralysie complète de l'activité intellectuelle. L'enfant inhibé ne participe pas à l'activité scolaire de sa classe; la curiosité, l'intérêt pour l'étude sont chez lui frappés d'interdit; il n'ose ouvrir la bouche pour répondre aux questions du maître, et de même il échoue aux examens, car exprimer ce qu'il sait, dans l'un comme dans l'autre cas, signifie pour son inconscient une réalisation agressive interdite. Son Moi, tout occupé qu'il est à lutter contre les pulsions censurées, n'est pas disponible pour quoi que ce soit d'autre; il est distrait du réel. Cet état de « distrait-absorbé », chez les enfants qu'on dit vulgairement être « dans la lune », est à l'origine d'une impossibilité à suivre ce qui se fait en classe.

A un degré un peu moindre de refoulement, on observe des écoliers qui, du fait de leurs formations réactionnelles rigides, se conduisent avec ordre et ponctualité, tiennent parfaitement leurs cahiers, font leurs devoirs avec un soin méticuleux, mais sont trop lents dans leur travail et, par souci de trop bien faire, ne peuvent terminer ce qu'ils ont commencé. La spontanéité naturelle chez eux est éteinte et, s'ils sont savants en calcul, par contre, dans le domaine des lettres, leur imagination est barrée. Nous avons connu ainsi un garçon de 9 ans qui, gravement dyslexique, fut suivi en rééducation pendant deux ans sans aucune amélioration de son orthographe. Ce garçon était intelligent et remarquable par sa ponctualité; il venait seul aux séances de rééducation et n'en manquait pas une; il faisait scrupuleusement le travail qu'on lui donnait pour la maison; ses cahiers étaient tenus d'une manière irréprochable et bien rare à cet âge. Mais cette conduite d'enfant « trop sage » correspondait à un refoulement total des élans spontanés, et la rééducation ne parvenait pas à mobiliser les énergies profondes bloquées par l'inhibition, d'où l'échec.

Il arrive cependant que, le refoulement se limitant électivement à la vie instinctive et affective, la raison se développe à proportion de l'extinction des sentiments. On a alors de ces enfants qui réussissent bien dans toutes les études faisant appel au raisonnement, à la logique, mais qui n'ont aucune ouverture vers les domaines intuitifs et artistiques. Il advient qu'ils fassent de brillantes études et passent avec succès toutes sortes de concours, mais ils seront toujours handicapés pour tout ce qui concerne l'adaptation affective à la vie.

Il nous faut ici parler du cas particulier du refoulement des pulsions œdipiennes. Certes, l'Œdipe peut être déjà par lui-même un facteur de perturbation scolaire. Il est assez connu par exemple qu'un garçon en forte rivalité œdipienne avec son père, instituteur ou professeur, peut de ce seul fait refuser d'apprendre et devenir un cancre. On cite encore le cas de l'enfant d'un homme, fanatique manieur de chiffres, qui, prenant le contre-pied de son père, ne saura de sa vie entière compter correctement. Des réactions de ce genre sont presque conscientes, et l'on peut assez facilement en détecter l'origine.

Par contre, en cas de refoulement, l'inhibition des pulsions œdipiennes peut s'étendre à toutes les pulsions, atteignant le dynamisme même de la personnalité. De plus, comme on l'a vu, la sexualité inconsciente s'étend « en tache d'huile » à d'autres domaines, de sorte que le processus de la pensée lui-même, étant alors *érotisé*, est considéré par l'inconscient comme équivalent aux manifestations sexuelles, et comme elles frappé d'interdit. Il est très curieux de constater que les divers modes de l'activité scolaire peuvent devenir ainsi des symboles de l'union des sexes. On cite par exemple le cas d'un enfant qui, en écrivant, séparait toujours les lettres rondes des lettres à jambages, et même dans ces dernières séparait l'œil d'avec le bâton : il apparaissait à l'analyse que c'était là pour lui les symboles féminins et masculins. Il peut arriver aussi que le porte-plume ait lui-même une signification érotique, ainsi que l'encre qu'il débite, de sorte qu'écrire équivaut à projeter le liquide séminal sur une page vierge, ce qui a le sens d'une souillure coupable.

De la même manière, il nous a été donné d'observer une fille unique qui mettait au singulier les mots qu'elle aurait dû mettre au pluriel, exprimant par là son refus inconscient d'avoir des frères et sœurs.

3. L'ANXIÉTÉ

L'angoisse peut être un facteur important de difficultés scolaires.

Il faut ici, comme nous l'avons fait déjà, distinguer l'angoisse normale, celle que le Moi est capable d'assumer — et l'angoisse pathologique qui, débordant le Moi, l'oblige à faire usage de mécanismes de défense excessifs, avec les conséquences fâcheuses que cela entraîne.

Le *trac* est la forme la plus fréquente de l'angoisse. Trac devant les professeurs, trac devant les examens, trac devant un public, c'est toujours la même situation d'angoisse devant un danger inconnu. On ne saurait dire, pas plus que pour l'angoisse, que le trac soit toujours pathologique; il ne l'est que quand il est persistant et que, par son intensité, il paralyse complètement le sujet.

Un trac temporaire, qui sera l'instant d'après surmonté, est à la vérité l'indice d'une vive sensibilité de vigilance, attentive aux dangers possibles, et par là il est susceptible de déterminer une plus grande clairvoyance et de dynamiser en fin de compte toutes les possibilités du sujet. Un tel trac est quasi constant chez les bons acteurs, et il indique que ceux-ci ne sont nullement blasés sur le rôle qu'ils jouent, mais qu'ils le prennent au contraire très au sérieux. *Sarah Bernhart*, la grande comédienne, interpellée un jour par une jeune actrice qui lui disait : « Moi, je n'ai jamais eu le trac! », lui répondit : « Ça vous viendra, ma petite... avec le talent. »

Mais quand le trac ne peut être surmonté, qu'il paralyse le sujet, lui brouille toutes ses idées, lui enlève la mémoire et le contrôle de ses réponses, il relève de causes profondes qu'il importe de découvrir. Il est des cas faciles à résoudre, où l'angoisse est conditionnée par des échecs successifs et se ramène à la crainte, au demeurant justifiée, d'un nouvel échec. Mais il en est d'autres qui ont des motivations inconscientes, le plus souvent liées à des interdits frappant la vie instinctive.

Une forme de trac assez fréquente est celle que l'enfant peut éprouver au moment de partir pour l'école, et cela est susceptible dans les cas sérieux de déterminer un absentéisme prolongé, lorsque le trac reparaît à chaque tentative. Il ne sert bien entendu de rien d'employer ici la force; et l'on a vu des cas où l'enfant anxieux, conduit à l'école par contrainte, trouve très rapidement le moyen de se sauver et de rentrer à la maison. On peut parfois expliquer ce trac par la crainte qu'a l'enfant d'un danger extérieur, par exemple la crainte d'un maître trop sévère; mais dans beaucoup de cas, ce trac n'a pas de motivation consciente et émane de l'inconscient.

4. LA RÉGRESSION

Nous avons dit la grande fréquence des états régressifs, en soulignant qu'ils sont compatibles avec une évolution normale quand ils ne sont ni trop intenses, ni trop durables.

Par contre les régressions intenses et durables sont un obstacle majeur aux progrès scolaires. L'enfant en régression est en effet tourné vers le passé et, par conséquent, il se détourne du réel présent et ne s'intéresse pas à l'avenir. On ne peut donc pas faire appel à son désir de grandir, d'égaler les grands, puisque dans le fond de son cœur il veut rester petit. Nous eûmes à nous occuper un jour d'un garçon de 8 ans qui ne faisait aucun progrès en arithmétique. Son père, pour l'encourager à travailler, lui répétait sans cesse que s'il n'était pas bon en cette matière il ne serait jamais grand, mais ses objurgations ne servaient à rien. Une enquête psychologique en profondeur nous révéla que ce garçon, nanti depuis peu d'un petit frère, enviait celui-ci de ses privilèges de bébé et qu'il aurait désiré revenir en arrière, vers la condition heureuse de ses premières années. En l'appelant à être grand, son père ne trouvait donc en lui aucun écho, d'où l'échec scolaire.

L'attention de l'enfant régressif ne se porte pas sur ce qu'enseigne le maître; elle est absorbée par une rêverie continue qui a pour thème le plus habituel les moments heureux du passé. Le travail scolaire est fait avec une grande négligence : les cahiers sont mal tenus, sales et déchirés (retour au stade sadique-anal).

La régression fait aussi revivre les étapes premières de l'intelligence, l'époque où celle-ci était surtout concrète et sensorielle, soumise, non aux lois logiques et à la réflexion, mais aux caprices de la vie affective, sans capacités d'abstraction et de rationalisation. La passivité domine, ainsi que le goût de la facilité, et quand l'enfant doit accepter un travail qui lui est imposé, il l'exécute avec une lenteur extrême, et souvent s'interrompt avant de l'avoir terminé. Il est de règle en pareil cas qu'on traite l'écolier de paresseux, qu'on incrimine sa mauvaise volonté et qu'on dise qu'« il pourrait mieux faire s'il voulait ». Et c'est vrai, mais l'on a bien entendu le tort de situer le problème dans la sphère consciente, alors qu'il se situe dans la sphère inconsciente. De sorte que toutes les objurgations et les menaces faites au conscient de l'enfant ne peuvent avoir aucun effet sensible sur son travail scolaire.

Il faut trouver la cause profonde, comme on l'a vu, tantôt dans l'organisme physique (croissance ou maladie), tantôt dans la sphère psychique des conflits.

5. L'ASTHÉNIE

L'asthénie se rattache à la régression. Comme celle-ci, elle correspond à la prédominance des forces de conservation sur les forces d'expansion, et elle indique que l'enfant a rencontré un obstacle à son expansion, obstacle extérieur ou obstacle intérieur selon le cas.

Le signe dominant de l'asthénie, c'est l'impuissance à l'effort, tant intellectuel que physique. Il faut cependant souligner que si, chez certains enfants, l'asthénie est tout à la fois physique et mentale, par contre chez d'autres, elle épargne la sphère motrice et n'affecte que l'intelligence; il s'agit alors de sujets qui aiment le mouvement et ne répugnent pas à l'effort physique, mais qui sont incapables d'un effort intellectuel.

Dans l'un comme dans l'autre cas, l'attention est fatigable et ne peut se maintenir que durant de courtes périodes de temps, de sorte qu'il est impossible à l'enfant de faire face aux longues heures de classe. La mémoire est infidèle : ce qui était su aujourd'hui ne le sera plus demain. Et surtout les résultats scolaires sont déconcertants : un jour bons, un jour mauvais pour les mêmes matières, selon le degré variable de l'asthénie.

Ici encore, on accuse l'enfant de paresse, surtout lorsque son peu d'empressement au travail scolaire est en contraste avec la vigueur qu'il montre dans les jeux. Cependant la signature d'un état pathologique est donnée par de fréquents maux de tête, la pâleur du visage et le manque d'appétit au lever. Très souvent on punit l'enfant, par exemple en lui imposant du travail scolaire en supplément à la maison, et ce faisant on aggrave la situation, parce qu'il faudrait tout au contraire alléger le travail, en utilisant au mieux les courts moments où l'enfant se montre capable d'un effort, le laissant par contre se reposer dès qu'il est envahi par l'asthénie.

6. LE CONFLIT OBSESSIONNEL

Le refoulement, complété par les formations réactionnelles est, on l'a vu, un des mécanismes de défense du Moi les plus fréquents. En particulier, quand cette défense, opérant sur des pulsions sadiques-anales régressives, est à l'origine d'un conflit violent, la personnalité se scinde en deux : d'un côté, dans le conscient, les formations réactionnelles de propreté, d'ordre, de soin, de ponctualité, de méticulosité; de l'autre, dans l'inconscient, les pulsions sadiques-anales qui cherchent de toutes leurs forces à s'exprimer et y parviennent par la voie des obsessions, lesquelles, comme nous l'avons montré, ont de ce fait un caractère sadique et ordurier.

Lorsque dominent les formations réactionnelles, sous la forme rigide qui, comme on l'a vu, caractérise l'état pathologique, on peut parler d'un *caractère obsessionnel.* Chez de tels sujets, la vie instinctive est étouffée, et souvent la vie intellectuelle se déploie en contrepartie, mais, comme on l'a vu déjà à propos du refoulement, c'est une intelligence de règles logiques, de schéma, de technique déshumanisée, non une intelligence riche de ce qu'elle pourrait puiser aux sources vitales; la forme prime le contenu, et un méticuleux souci de perfection empêche tout jaillissement de spontanéité.

Lorsque la vie instinctive réussit à faire entendre sa voix, un conflit permanent la met aux prises avec les formations réactionnelles du Moi, et le sujet est sans cesse tiraillé entre les deux instances contraires, entre le pour et le contre, de sorte qu'il ne peut parvenir sur aucun problème à une certitude. La névrose de doute et de scrupule paralyse la plus large part de son activité intellectuelle et, le faisant tourner en rond, empêche tout progrès en avant.

Ajoutons que le Moi, obligé à une vigilance constante pour contrôler les pulsions instinctives, s'épuise dans cet effort et n'est plus guère disponible pour l'activité scolaire. De surcroît, il est sans cesse distrait par les idées obsédantes émanées de l'inconscient, et cette absorption intérieure contribue, elle aussi, à le détourner de ce à quoi il devrait être attentif (le distrait-absorbé dont nous avons déjà parlé).

7. LA DÉPRESSION

Quand la défense du Moi, obéissant à un Surmoi particulièrement sévère dans ses interdictions, retourne les pulsions du sujet contre lui-même, il en résulte, on l'a vu, un *état dépressif*.

L'expansion vitale est alors remplacée par un sentiment d'incapacité qui perturbe grandement lui aussi le travail scolaire. Non pas que l'enfant déprimé ne fasse aucun effort. Bien au contraire, dans la plupart des cas, lorsque la dépression n'est pas trop accusée, le déprimé se montre très appliqué à son travail, consciencieux à l'extrême, mû par le sentiment intérieur qu'il n'en a jamais assez fait pour mériter l'approbation du maître. Mais ses efforts sont presque toujours impuissants à lui assurer le succès du fait que, pour son inconscient, toute réussite est interdite à l'égal d'une coupable manifestation d'agressivité. Il en résulte ce qu'on appelle une *névrose d'échec* : l'enfant échoue à toutes les activités scolaires qui le mettent en compétition, alors que son niveau d'intelligence pourrait fort bien lui assurer la réussite. On note avec une certaine surprise que l'échec, bien loin d'aviver l'angoisse du déprimé, tout au contraire l'apaise; c'est qu'en effet, l'échec représente pour l'inconscient le châtiment imposé par le Surmoi et considéré comme mérité.

Voici par exemple le cas d'un jeune homme profondément marqué dès sa petite enfance par l'éducation tyrannique d'un père qui ne tolérait chez ses enfants aucune indépendance. Ce jeune homme tente cependant, contre la volonté de son père, de passer un examen qui lui ouvrira la carrière qu'il désire. Or, dix jours avant la date de l'examen, il s'entaille involontairement la main droite avec un couteau de cuisine, ce qui le met dans l'impossibilité de faire les épreuves écrites. Il s'obstine, travaille durant toutes ses vacances dans l'intention de se présenter à la deuxième session. Mais il est soudain pris de maux de tête, accompagnés de trous de mémoire, ce qui l'oblige à renoncer définitivement à son dessein et à accepter de suivre la carrière de commerçant voulue par son père. Comme on peut le voir par cet exemple, c'est bien du père tyran qu'émane l'interdit, mais d'un père *introjecté en Surmoi* dans les profondeurs de l'inconscient, ce qui nous explique que le jeune homme obéisse à cet interdit une première fois par un acte manqué (la blessure), une seconde fois par des troubles névrotiques, mais tout cela à son insu, c'est-à-dire sans se rendre compte des causes qui le déterminent et sans que sa volonté consciente puisse par conséquent s'y opposer.

LIVRE III

L'ÉDUCATION ET L'INCONSCIENT DES ÉDUCATEURS

CHAPITRE I

L'IMPORTANCE DE L'INCONSCIENT

On peut poser comme règle que *les inconscients — l'inconscient des parents et l'inconscient des enfants — se parlent directement sans passer par le conscient.*

Les éducateurs se sont souvent abusés à ce sujet en ne s'appuyant que sur le conscient. D'une part ils pensaient que, pour éduquer un enfant, il n'est que de mettre devant ses yeux de bons principes dictés par la raison. D'autre part ils supposaient que leur action ne s'exerce qu'à partir du moment où l'enfant parle et est capable de comprendre la parole qu'on lui adresse. Double erreur car, comme la psychanalyse nous l'a montré, l'action éducative commence bien avant la parole, et elle est dès le début une *communication des inconscients*, opérant très tôt, avant que ne s'éveille la vie consciente. Et par la suite, quand l'accès à la conscience établira par le langage des échanges multipliés entre parents et enfants, c'est encore et toujours le *dialogue secret des inconscients* qui jouera le rôle primordial.

C'est donc en grande partie à notre insu que nous exerçons notre influence éducative sur les enfants, et l'on comprend par là l'échec obligé de toute éducation qui se voudrait en tous points rationnelle. Car comme l'inconscient est pour une bonne part ce qui reste en chacun de nous de notre passé, tout spécialement de notre passé enfantin, il s'en déduit qu'à travers l'enfant que nous éduquons, nous revivons sans en être pleinement conscients notre propre enfance, avec tous ses problèmes et, de la sorte, nous avons tendance à projeter sur la situation actuelle une situation vécue dans le passé, ce qui entraîne, on le comprendra sans peine, bien des risques de déformation.

Plus nous sommes liés à une personne (et les liens parents-enfants sont les plus étroits) plus nos relations avec elle sont modelées par des charges affectives inconscientes, et, soulignons-le, c'est souvent en contradiction avec nos sentiments conscients tels qu'ils s'expriment.

Ainsi donc, la relation parents-enfants est très fortement marquée de subjectivité. Pourrait-on l'éviter et atteindre à une complète objectivité en appliquant à l'éducation des lois et des règles inspirées de la raison (telles qu'on peut s'en instruire dans de bons Traités) et éliminant ainsi tout élément de subjectivité affective? Non! une telle prétention serait fallacieuse, car on ne peut supprimer la subjectivité des relations entre parents et enfants, pas plus qu'on ne peut supprimer l'influence secrète de l'inconscient. L'expérience montre que lorsqu'on veut en pareille matière n'obéir qu'à la seule raison, on n'y parvient qu'en refoulant la vie affective, et bien loin par là d'éliminer celle-ci, on la renforce au contraire dans son influence inconsciente, cette influence qui échappe à notre contrôle et qui pourra venir contrecarrer nos décisions les mieux intentionnées. La solution est tout au contraire pour l'éducateur dans la reconnaissance du rôle très important de la vie affective, notamment inconsciente, et dans une compréhension aussi lucide que possible de tout ce que ce rôle comporte de conséquences.

Rôle primordial de la vie affective ; on ne saurait le souligner avec assez de force : *on ne peut être un bon éducateur que si l'on aime les enfants.* Aucun principe éducatif, aucune règle, aucun conseil ne peuvent remplacer cet indispensable amour, et réciproquement, les erreurs éducatives qu'on commet, qu'on ne peut éviter de commettre, sont largement palliées dans leurs effets néfastes par l'amour que l'on porte à l'enfant.

Certes, comme on l'a vu, on ne saurait méconnaître la nécessité d'apprendre la « technique » de l'éducation, en s'appuyant sur ce que nous avons montré être le développement normal d'un enfant, sur les exigences de sa maturation psychologique. Et de se consacrer de tout son cœur à cette tâche y ajoute l'élément affectif indispensable à une compréhension profonde des besoins de l'enfant.

Encore faut-il pouvoir le faire ; le pouvoir, c'est-à-dire ne pas en être empêché par des facteurs indépendants de notre volonté, notamment par des facteurs inconscients agissant à contre-courant de notre bonne volonté consciente. C'est à l'étude de ces facteurs inconscients que nous allons consacrer les chapitres suivants.

CHAPITRE II

L'ENFANT-OBJET ET L'ENFANT-SUJET

Nous venons de dire que pour être un bon éducateur, il est indispensable d'aimer les enfants. Toutefois bien des parents déclarent aimer leurs enfants qui ne se montrent pourtant pas capables de les éduquer comme il faut. Qu'en doit-on penser ?

C'est qu'il faut distinguer ici deux sortes d'amour : l'*amour captatif* et l'*amour oblatif*; ou encore, ce qui les définit un peu mieux : *l'amour avec attachement* et *l'amour avec détachement*.

L'*amour captatif* comporte une bonne part d'égoïsme, fût-ce inconsciemment. Rien n'est certes plus respectable au premier abord que le mot « attachement ». Mais qu'on réfléchisse à tout ce que cela implique d'« être attaché à quelqu'un », à ce qu'implique l'expression « liens familiaux », si souvent donnée comme un idéal. Etre attaché avec des liens, c'est être prisonnier, ne pas être libre, ne pas pouvoir disposer de soi-même, ne pas pouvoir réaliser pleinement son destin. Quand des parents aiment leur enfant de cette façon, ils l'aiment non pas pour lui-même, mais pour eux. L'enfant est dans ce cas une possession, un *objet* qu'on possède et qu'on prétend manipuler à sa guise. On l'aime alors dans la mesure où il satisfait à tout ce qu'on attend de lui; vient-il à revendiquer sa liberté, son indépendance, son droit d'agir autrement que nous le désirions, et voilà notre amour frustré, tout près de virer à la haine.

L'*amour oblatif, c'est l'amour avec détachement.* Si l'on se méprend très souvent sur le sens de ce mot détachement, c'est en général parce qu'on le comprend comme voulant dire indifférence; dans ce sens très communément employé, se détacher de quelqu'un, c'est ne plus l'aimer. Mais selon un sens plus profond, le détachement dans l'amour signifie qu'on aime l'autre sans l'attacher, sans le paralyser par des liens, qu'on l'aime non pour soi mais pour lui-même, en le laissant libre, en ne l'entravant pas dans son autonomie d'être indépendant. Alors l'enfant n'est plus comme tout à l'heure une possession des parents, un objet dont ils peuvent disposer à leur guise. Il est un *sujet*, qui a ses désirs propres, ses voies propres, son destin personnel, destin que notre amour doit l'aider à réaliser, bien loin de l'en empêcher.

Pratiquer l'amour avec détachement, c'est donc considérer que nos enfants nous sont en quelque sorte « prêtés » pour que nous les fassions prospérer. Ainsi, une nourrice élevant les enfants qu'on lui confie sait qu'au terme de son engagement elle devra les rendre à leurs parents; ainsi un maître d'école se dévouant à ses élèves sait que plus tard ils le quitteront pour passer en d'autres mains. C'est eux qui sèment, mais ce n'est pas eux qui feront la récolte; il faut qu'ils pensent, non à soi, mais à l'enfant et à son avenir. Pareillement *nous devons aider notre enfant à « devenir ce qu'il est »*, à développer au mieux toutes les dispositions virtuelles qui sont en lui.

Nous avons souligné au début de cet ouvrage la nécessaire prévalence de l'expansion vitale et l'exigence éducative majeure qui en découle : *toujours se comporter avec les enfants de manière à permettre à leurs tendances de s'épanouir avec le maximum de liberté possible*, et ne jamais interdire ni inhiber, autrement dit, suivant l'excellent précepte de *Foerster* déjà cité : « *Traduire les exigences de la morale dans le langage de la vie croissante.* »

Notons en outre que c'est de l'enfant-sujet que les choses doivent venir. Quand il accède à la maturité d'une de ses fonctions et qu'il nous adresse un appel, nous devons être prêts à lui apporter l'aide dont il a besoin, mais pas plus. Faire à sa place, lui apporter une aide totale, lui éviter toute peine, toute frustration, en un mot *le gâter*, c'est le considérer comme un objet et, partant, le frustrer de son bien le plus précieux : son indépendance naissante, sa capacité naissante de faire quelque chose de lui-même.

Le valoriser comme sujet, c'est précisément le regarder avec intérêt quand il œuvre par lui-même, le soutenir d'un regard affectueux, d'une parole affectueuse. Jamais de critique négative, qui est inhibante, mais *une admiration mesurée* pour toutes les réalisations enfantines, même si elles nous paraissent dès l'abord maladroites ou éloignées de ce que nous, adultes, nous attendions. Bien entendu, quand nous disons : « admiration mesurée », nous ne voulons pas signifier par là qu'il faut louanger l'enfant de tout ce qu'il fait, car il serait alors porté, dans son narcissisme, à « faire du spectacle ». Non! il s'agit de louer tout ce qui émane de la profondeur de l'être enfantin et qui a valeur, si peu que ce soit, de création.

Ajoutons, ce qui est un autre aspect du même problème, que l'amour captatif, voyant dans l'enfant un objet, une possession, en fait par là même non une fin en soi, mais un *moyen*. Enfant-objet, celui dont les parents se servent pour combler leur vide affectif, en s'opposant à toutes les tentatives qu'il fait pour conquérir son autonomie. Enfant-objet, celui à qui les parents imposent de faire ce qu'ils auraient eux-mêmes voulu faire jadis, mais sans avoir pu y parvenir; ainsi il n'est pas rare que des parents incultes, et humiliés de l'être, veuillent se servir de leur enfant pour venger en quelque sorte leur humiliation, et le contraignent à des études auxquelles il n'est point apte, ou auxquelles il ne prend aucun intérêt.

Enfant-objet, celui que des parents exagérément soucieux de bonne tenue et de respectabilité façonnent éducativement à l'aide de principes moraux, de récompenses et de punitions, sans jamais laisser s'épanouir sa véritable nature, laquelle est peut-être tout à l'opposé. C'est le cas des enfants qu'on appelle « trop sages ». Un pareil résultat est obtenu d'ordinaire par une éducation sévère et inhibante; mais il peut l'être aussi par une éducation trop tendre, l'enfant étant alors englué dans des liens affectifs très étroits, n'osant s'en libérer « pour ne pas faire de peine à sa petite maman », et cédant sans cesse à un véritable chantage sentimental.

Enfant-objet encore, celui qu'on n'aide pas à se libérer de ses liens œdipiens. La mère collée à son fils, le père collé à sa fille se servent de leur enfant essentiellement pour satisfaire leur désir affectif. Par exemple une veuve, mère d'un fils unique et ne l'ayant jamais quitté, alors que celui-ci, vers ses 20 ans, lui avouait un flirt avec une jeune fille, lui dit avec reproche : « Je me suis gardée pour toi; tu devais te garder pour moi! »

Enfant-objet enfin l'enfant de parents divorcés quand, ce qui est fréquent, ceux-ci se servent de lui comme exutoire à leur haine en cherchant, chacun de leur côté, à se l'attacher par tous les moyens possibles, et à le dresser contre leur ancien conjoint, de sorte que, déchiré entre les deux camps adverses, il ne peut que très difficilement trouver son équilibre.

CHAPITRE III

L'ÉQUILIBRE DU COUPLE

Un couple de parents, c'est un père et une mère, un homme et une femme, c'est-à-dire deux êtres sexuellement différents et qui se complètent par leur union.

Au contraire de certains, qui veulent tout remettre en question et qui nient qu'il existe des différences entre les sexes, nous postulons que l'homme et la femme sont égaux, qu'ils doivent avoir les mêmes droits dans la société, être l'un et l'autre des *sujets* libres, autonomes, mais qu'ils n'en sont pas moins différents pour autant par leur tempérament et leurs aptitudes, et le rôle qu'ils ont à jouer dans l'éducation des enfants.

Assurément, cette opposition radicale se nuance quand on considère, comme nous l'avons fait au début de cet ouvrage, qu'il y a chez tout homme une composante féminine et chez toute femme une composante masculine, composantes qui introduisent dans la personnalité, tant de l'homme que de la femme, la possibilité de rôles plus variés et même, si les circonstances viennent à l'exiger, la possibilité d'une substitution de rôle, l'homme prenant alors la place de la femme, ou la femme celle de l'homme.

Il n'en résulte pas moins que, dans les conditions normales, l'harmonie du couple repose sur le fait que chacun des partenaires remplit son rôle propre, différent pour chacun d'eux.

Par exemple, on a pu penser, à la description que nous avons donnée au début de cet ouvrage, que le tout premier développement de l'enfant ne dépendait que de la mère. Mais ce serait méconnaître l'importance qu'a de très bonne heure le père, de par le rôle qu'il joue dans la solidité du couple, dans le soutien qu'il apporte à la mère par sa présence, son affection, sa virilité agissante.

Où l'on voit particulièrement bien le rôle des deux éléments du couple, c'est à l'étape œdipienne, quand se substitue pour l'enfant la relation triangulaire de l'Œdipe à la relation duelle avec la mère. Car le père est alors le facteur décisif qui rompt l'unité trop étroite de l'enfant et de la mère, et permet par cette rupture l'accession à la maturité, tant pour la fille que pour le garçon. Encore faut-il que cette rupture ne soit pas brutale, qu'elle se réalise d'une manière progressive, au mieux des intérêts de l'enfant.

Cela suppose — et c'est vrai très généralement — la bonne harmonie du couple parental, l'entente réalisée sur tous les plans : intellectuel, affectif et instinctif. Cette entente implique que chacun des partenaires du couple considère l'autre *comme un sujet*, ayant ses désirs propres, son exigence légitime d'indépendance et toujours admis à faire entendre sa voix. Cela suppose, non pas qu'il n'y ait jamais de conflit, de dissension entre l'homme et la femme, mais qu'il y ait de part et d'autre une volonté commune de résoudre au mieux les conflits par le dialogue, par l'échange des points de vue; et cela sur tous les plans. C'est ainsi — il ne faut pas hésiter à le souligner — que la bonne entente sexuelle implique que chacun des partenaires ait souci de l'autre et ne trouve la joie de l'accomplissement sexuel que lorsque l'autre partage cette joie.

On sait certes depuis longtemps la nécessité pour l'éducation des enfants d'une bonne entente des parents sur le plan des idées et de l'affection. Mais ce que de surcroît la psychanalyse nous a appris, c'est le rôle capital de cette bonne entente sexuelle que nous venons d'évoquer, faite du don mutuel de soi. Quand cette entente sexuelle fait défaut, serait-on d'accord sur tous les autres plans, il en résulte pour l'homme et la femme une insatisfaction qui se répercute presque toujours fâcheusement sur leurs relations avec les enfants. Pour n'en donner qu'un exemple, mais très significatif, les femmes frigides en amour le sont en général en vertu d'une forte charge agressive refoulée contre l'homme, l'homme en général et le mari en particulier; mais d'être refoulée, cette agressivité n'en est pas moins dangereuse pour cela, bien au contraire, car ne s'exprimant jamais d'une manière ouverte et franche, elle ne peut se liquider et elle se traduit alors sans cesse — sans qu'aucun des partenaires s'en rende bien compte — par des gestes et des paroles qui créent entre mari et femme un climat permanent d'irritation.

Remarquons en premier lieu que la bonne harmonie sexuelle des parents conditionne chez ceux-ci une attitude saine devant la sexualité, ce qui leur permet, d'une part d'informer en toute franchise leurs enfants de ce qu'ils doivent savoir sur le sujet; d'autre part de ne pas censurer de manière inhibante les manifestations naissantes de la vie sexuelle, en particulier la masturbation.

D'autre part, la bonne harmonie sexuelle du couple est la condition indispensable du dépassement de l'Œdipe chez les enfants. On a vu en effet que ce qui empêche ce dépassement, c'est l'intensité anormale des pulsions sexuelles déterminant un refoulement, et qu'une large part de responsabilité en incombe au complexe d'Œdipe des parents, fixant l'enfant dans une situation pathologique. On sait ainsi que, quand l'union affective des parents est solide, l'enfant, en prenant conscience, comprend qu'il doit renoncer à son désir d'être le partenaire privilégié du parent dont il est amoureux, et par-là il est amené plus facilement à transférer ses sentiments sur des personnes étrangères à sa famille, en particulier au moment de l'évolution pubertaire. Que si au contraire le couple n'est pas uni, le ou les parents frustrés sexuellement tendent à reporter le trop-plein non assouvi de leur vie affective sur l'enfant, et créent ainsi chez celui-ci une situation œdipienne perturbante.

L'équilibre harmonieux du couple est aussi un facteur important dans le processus de maturation qui aboutit à l'*identification* de l'enfant au parent de son sexe. Pour ceux qui, comme nous, considérons les deux sexes comme ayant des rôles différents, *l'identification du garçon à son père le fait accéder à la virilité, l'identification d'une fille à sa mère la fait accéder à la féminité.* Il est très remarquable de noter que lorsqu'il y a inversion des rôles dans le couple, il se produit presque immanquablement, en vertu du processus d'identification, une inversion de l'Œdipe chez les enfants : une effémination des garçons, une masculinisation des filles, ce qui introduit dans leur personnalité une distorsion qui est un facteur de névrose.

On a vu que, lors du dépassement de l'Œdipe, l'identification se réalise par une véritable *introjection* de l'instance parentale, des idéaux et des interdits que représentent les parents, et qu'il se constitue alors dans la personnalité de l'enfant ce que les psychanalystes appellent le *Surmoi,* le gouverneur du Moi. Le Surmoi est d'origine à la fois paternelle et maternelle. Il faut remarquer qu'il comporte deux aspects : l'un positif, conforme aux exigences de l'expansion vitale; l'autre négatif, freinateur de cette expansion. Les deux sont en effet nécessaires, car *l'enfant*, pour se constituer d'une manière équilibrée, *ne doit pas seulement introjecter la bonté permissive des parents* (qui favorise l'expansion libre des pulsions) *mais encore leur fermeté interdictrice* (qui impose le principe de réalité), *pourvu bien entendu que l'amour les inspire l'une et l'autre.*

CHAPITRE IV

LA NÉVROSE PARENTALE ET SON INFLUENCE PERTURBANTE

La bonne harmonie du couple parental est bien évidemment sous la dépendance du bon équilibre nerveux de chacun des partenaires.

Bon équilibre nerveux, cela veut dire que le père, que la mère aient, chacun de leur côté, réalisé leur évolution psychique d'une manière normale, selon ce que nous avons décrit au Livre I.

I. LA MATURITÉ PSYCHIQUE

Comme on l'a vu, pour que se réalise une personnalité équilibrée, il faut que chacune des étapes du développement ait été franchie sans trop de heurts, sans trop de retours en arrière, et sans angoisse annihilante. C'est donc la manière dont un éducateur a vécu sa propre enfance, la manière dont s'est faite sa maturation, le dépassement de chacun des stades, qui pourra lui donner une juste attitude vis-à-vis des enfants.

Nous retrouvons ici le problème capital de la *force du Moi*, principalement dans son aspect *d'acceptation de la réalité*, comportant en corollaire une bonne *tolérance aux frustrations*.

Nous avons vu que, pour réaliser son adaptation à la réalité, l'enfant doit, au cours de son développement, assumer d'inévitables frustrations, en renonçant aux avantages du stade qu'il lui faut dépasser. Cela est réciproque, et les parents doivent aussi, à chaque étape, accepter des frustrations équivalentes. Ainsi une mère, qui voit son bébé s'échapper de ses bras et se lancer à l'aventure, doit assumer sans angoisse excessive la frustration qui en résulte pour elle, car si elle ne le fait pas, si à chaque tentative d'indépendance de l'enfant elle réagit anxieusement, elle sera portée à adopter des attitudes de contrainte qui feront obstacle à l'autonomie du petit. Et tout pareillement le père. De sorte qu'on pourra voir par exemple plus tard le père ou la mère s'opposer au mariage du jeune homme, de la jeune fille, parce qu'ils ne peuvent supporter d'en être séparés.

Il est pour les parents comme pour les enfants des *frustrations inévitables*, qui sont le lot commun de tous, et des *frustrations accidentelles*, qui dépendent de l'existence particulière de chacun.

Les *frustrations inévitables*, que tous les parents doivent être capables d'assumer, résultent essentiellement, comme nous venons de le voir, de l'indépendance croissante de l'enfant qui grandit. *Lui garder notre affection tout en le laissant libre*, tel est le très sérieux problème qui se pose à chacun de nous, parents. La psychanalyse nous enseigne ici que le refus anxieux de se séparer d'un enfant, censuré par le conscient dans son aspect captatif brutal, n'en subsiste pas moins, mais rationalisé : on insistera sur les dangers, dangers physiques, dangers moraux, qu'on encourt à disposer d'une trop grande liberté. Cette rationalisation est soutenue par l'Idéal du Moi des parents, qui leur donne bonne conscience d'agir comme ils le font, persuadés sont-ils qu'en conformité avec cet idéal, il remplissent pleinement leur devoir. Davantage encore quand cet idéal du Moi est appuyé par l'idéal collectif de la Société. Le conflit des générations est en germe ici, de par le fait que les adolescents sont souvent portés à refuser l'idéal qu'on leur propose, et dont le maintien à tout prix par leurs parents leur apparaît comme une oppression insupportable.

Un autre aspect du même problème est *le choix d'une profession.* L'exigence de productivité fait que les parents veulent en général orienter leurs enfants vers un métier qui puisse leur assurer d'emblée la sécurité. C'est leur propre besoin de sécurité qui se manifeste ici bien entendu, mais dissimulé sous des arguments rationnels. S'il se trouve par exemple qu'un enfant manifeste en grandissant des goûts et des aptitudes qui l'orientent vers une profession décriée, par exemple artistique, on fera tout pour l'en détourner, croyant de bonne foi agir pour son bien, alors que, ce faisant, on court le risque d'anéantir définitivement ses possibilités créatrices.

La capacité qu'a le Moi des parents de supporter les frustrations peut être mise à l'épreuve dans bien des *circonstances particulières de la vie, génératrices d'angoisse.*

Il convient de rappeler ici qu'une frustration mal acceptée a toujours pour effet, en premier lieu, d'exalter l'agressivité, particulièrement contre la personne jugée responsable de cette frustration. Comme elle peut provenir soit du conjoint, soit de l'enfant, on verra l'hostilité se développer contre l'un ou contre l'autre suivant le cas. Mais il est habituel aussi que la censure du Moi intervienne, et que l'agressivité soit refoulée dans l'inconscient. On doit alors s'attendre à ce qu'elle ne s'exprime pas directement, mais se manifeste d'une manière détournée par des attitudes particulières de critique ou de rejet, plus ou moins justifiées par des arguments de raison.

En second lieu, le sujet frustré tend à compenser sa privation en reportant toute son affection sur une autre personne, et souvent alors sa crainte anxieuse d'être à nouveau frustré le fait s'attacher d'une manière jalouse et exclusive qui paralyse le partenaire.

La *frustration provient du conjoint* quand l'harmonie du couple est défectueuse. Par exemple, une femme frustrée par l'indifférence ou l'absence de son mari pourra souvent tenter de compenser la frustration en s'attachant à son enfant d'une manière trop exclusive et le gardant par là prisonnier dans les liens d'une affection trop captative; c'est un cas qu'on observe fréquemment chez les femmes veuves ou divorcées.

Cette dysharmonie du couple peut aussi tenir, non aux incidents de la vie, mais aux *dispositions personnelles d'un des conjoints*. Quand un père, quand une mère n'ont pas pu effectuer leur dépassement œdipien, non seulement ils auront beaucoup de peine à réaliser entre eux une bonne harmonie sexuelle et à bien s'entendre affectivement, mais encore ils adopteront vis-à-vis de leurs enfants une attitude qui trahira leur immaturité. En effet, leur attachement œdipien à leurs enfants va paralyser ceux-ci et les empêcher de réaliser à leur tour le nécessaire dépassement. L'attrait incestueux, qui se marque alors dans les relations parents-enfants et qui a un caractère régressif, peut parfois aboutir à des relations sexuelles en circuit fermé, du père avec sa fille, de la mère avec son fils. Cependant, dans la majorité des cas, la défense du Moi, dépositaire des censures morales, intervient en frappant d'interdit les pulsions instinctives, et substitue à l'inceste des relations affectives dépouillées en apparence de tout caractère sexuel; mais pour être ainsi refoulés, les liens incestueux n'en subsistent pas moins, plus dangereux même d'être méconnus par ceux qui en sont prisonniers, et ils peuvent vicier profondément toutes les attitudes éducatives.

Les *enfants* peuvent être eux aussi pour les parents l'occasion de maintes frustrations. Comme on l'a vu, l'amour sous sa forme oblative nous conduit à accepter l'enfant tel qu'il est, et non tel que nous voudrions qu'il soit. Cette acceptation peut parfois être douloureuse, par exemple dans le cas d'un enfant anormal, ou d'un enfant de caractère très difficile, ou bien d'un enfant qui meurt. On sait qu'en pareil cas, il est deux attitudes possibles : celle de l'acceptation de l'inévitable réalité et de la souffrance que celle-ci comporte (par exemple le chagrin du deuil d'un enfant disparu); ou bien celle du refus et de la tendance à nier la réalité.

Un mode fréquent de cette négation est de refuser la responsabilité de ce qui arrive. On sait avec quelle fréquence les parents ont tendance à s'accuser mutuellement, à rendre leur conjoint responsable de ce que font de mauvais leurs enfants; on connaît les phrases souvent entendues en pareil cas : « Ton fils a encore fait une bêtise » ou bien : « Dans ma famille à moi, il n'y a pas d'anormaux, mais dans celle de mon mari... »

Ou bien encore, en cas de deuil, le refus inconscient de la mort d'un enfant très chéri peut avoir pour conséquence qu'on ne pense plus qu'au disparu et qu'on néglige tout le reste. Nous avons connu ainsi une femme qui, ayant perdu une petite fille de 5 ans , (elle avait, à la vérité, quelque responsabilité dans cette mort), dominée par son chagrin, passait des journées entières au cimetière et négligeait complètement son intérieur, si bien que le père, pour parer à cette situation, se vit obligé de confier son fils de 3 ans à une voisine; la frustration fut bien entendu très grande aussi pour le petit garçon, qui montra plus tard qu'il gardait dans son cœur un grand ressentiment contre sa mère, pour l'avoir en quelque sorte abandonné. Une autre, qui n'avait pas non plus accepté la mort de son garçon âgé de 10 ans et entretenait autour d'elle une atmosphère de deuil et de tristesse, disait deux ans après à sa petite fille, en guise de souhait d'anniversaire : « Tu as l'âge de ton petit frère quand il est mort ».

Voici encore le cas des parents qui auraient voulu un fils et qui, ayant une fille à la place, ne l'acceptent pas de bon gré. Bien qu'ils refoulent leur hostilité contre elle, leur inacceptation se traduira par nombre de critiques, ou bien des remarques désabusées : « Si tu étais un garçon » ou bien : « Nous aurions tant voulu que tu sois un garçon ! ». Attitude éducative qui risque de perturber profondément le développement sexuel et affectif de cette fillette, assurée dans son cœur que, pour plaire à ses parents, il lui faudrait se comporter en tout comme un garçon.

Autre cas : voici une femme malheureuse en ménage et qui, bien que ne se l'avouant pas à elle-même, déteste son mari. Il lui vient un enfant que, comme toute mère, elle chérit. Mais sa haine refoulée contre son mari se déplace inconsciemment sur l'enfant qu'elle a eu de lui, et elle aura vis-à-vis de cet enfant des réactions de rejet dont elle sera la première surprise, du fait qu'elle ne prend pas conscience de cette hostilité de transfert.

Autre cas encore : voici un homme acceptant par amour d'épouser une femme qui a eu un enfant d'un autre. Il se croit capable d'aimer aussi l'enfant. Mais peu à peu l'affection que sa femme donne à cet enfant, qui est d'un autre, éveille en lui, par frustration, une intense jalousie, et lorsqu'un autre enfant viendra, il aura, lui, le père, même s'il s'en défend, une préférence marquée pour le nouveau venu et un désir secret de rejeter le premier.

Frustration d'un autre genre : celle qui est causée aux parents par les insuccès scolaires des enfants. Voici par exemple un garçon de 10 ans qui ne travaille pas bien à l'école et a un an de retard, tandis que sa sœur, de deux ans plus jeune, a un an d'avance dans ses études. Les parents de ces enfants attachent une très grande importance à leur réussite scolaire, et ils censurent sans cesse le garçon, ne manquant jamais de vanter devant lui les brillants résultats de sa sœur. Frustrés par lui dans leur attente, ils le frustrent à leur tour, et le garçon devient agressif contre sa sœur, allant un jour jusqu'à lui piétiner ses cahiers qu'on lui présentait comme modèles.

La bonne harmonie d'un couple est souvent mise en péril par le comportement des enfants. Ainsi, il est fréquent que le père soit particulièrement soucieux de l'avenir et des progrès de l'enfant, tandis que la mère, qui voudrait inconsciemment retenir près d'elle l'enfant grandissant, tend souvent à favoriser sa régression, par exemple en cas de fatigue ou de maladie. On ne saurait trop insister en pareil cas sur l'utilité d'un échange, d'un dialogue entre le père et la mère, qui permette une conciliation des points de vue opposés et, dans les cas les plus favorables, les amène l'un et l'autre à une prise de conscience de leurs attitudes profondes. C'est ainsi que le père pourrait prendre conscience du caractère excessif de son inquiétude de l'avenir, de son orgueil familial, de sa surestimation narcissique des aptitudes de son enfant ; de son côté la mère pourrait prendre conscience de son désir secret de garder l'enfant le plus longtemps possible dans sa condition de nourrisson protégé.

2. L'ANGOISSE MORBIDE

En opposant l'*angoisse normale*, celle que le Moi est capable d'assumer, à l'*angoisse morbide*, qui déborde les capacités du Moi, nous avons souligné les inconvénients de cette dernière, résidant principalement dans les attitudes anormales que le Moi est amené à adopter pour se défendre contre elle.

Il faut remarquer tout d'abord que les parents anxieux n'ont pas une juste appréciation de la réalité. Ils tendent à dramatiser les choses les plus minimes. En particulier, lorsque la conduite de leur enfant manifeste les mêmes pulsions qui ont suscité en eux dans le passé de l'angoisse, ils sont saisis de panique et ils censurent avec une sévérité excessive, par angoisse, les manifestations agressives ou sexuelles de l'enfant.

On doit souligner aussi que souvent le comportement des parents anxieux évoque bien plutôt une attitude dépressive qu'une attitude agressive. C'est ainsi qu'ils vivent dans la hantise constante des accidents ou des maladies qui pourraient advenir à leur enfant. Et de manifester leur angoisse d'une manière telle qu'elle se communique à l'enfant et le précipite souvent dans ce qu'on craignait pour lui. « Ne monte pas sur cet arbre! tu vas tomber! », cette phrase, proférée d'une voix anxieuse, suffit parfois, par la contagion de la crainte, à faire effectivement tomber l'enfant. Les parents se croient alors justifiés de leur mise en garde, mais une plus juste appréciation des choses leur ferait comprendre qu'ils sont eux-mêmes, et eux seuls, responsables de ce qui est arrivé. Ici encore, le mécanisme à l'œuvre est inconscient : la crainte anxieuse est le négatif de l'hostilité refoulée, du désir d'empêcher l'enfant de se libérer de la tutelle parentale, et c'est l'hostilité, perçue par l'inconscient de l'enfant, qui provoque l'échec.

On nous objectera sans doute qu'une certaine crainte à l'égard des dangers qui menacent les enfants est bien naturelle et traduit non l'hostilité, mais la sollicitude affectueuse. Et c'est vrai. Mais il faut distinguer avec soin crainte et angoisse. Une crainte justifiée conduira à prendre les mesures de protection nécessaires, soit sous forme d'aide, soit sous forme de conseils. L'angoisse, par contre, est irrationnelle; elle n'est pas fonction du danger réellement encouru par l'enfant, mais d'une situation de danger que nous créons par notre imagination en nous représentant ce que nous craignons et le projetant abusivement sur la situation réelle.

Lorsque, chez des parents, la tolérance aux frustrations est déficiente, lorsque par exemple leur crainte d'être un jour abandonnés par les enfants suscite en eux une angoisse insupportable, il advient qu'ils réagissent par une prise de distance et se montrent affectivement indifférents à leurs enfants, pour n'avoir point à souffrir un jour des inévitables séparations. A l'extrême, certains vont jusqu'à ne pas vouloir avoir d'enfants pour ne pas risquer d'être exposés plus tard à la douleur de les perdre.

D'une manière analogue, quand l'attrait œdipien est générateur d'une forte angoisse, le Moi peut se défendre par un refus de contact : ainsi le peu d'affection d'un père pour sa fille ou d'une mère pour son fils signifie parfois tout le contraire dans l'inconscient, et l'enfant en cause peut alors percevoir inconsciemment à la fois l'attrait incestueux du parent et la culpabilité qui y est liée.

Il nous faut aussi parler de *l'angoisse d'insécurité* dans les rapports parents-enfants. Nous avons vu que le besoin de sécurité dicte un bon nombre de conduites enfantines. Mais il peut être très fort aussi chez certains parents. Il se traduit par une vive angoisse devant le changement, ce qui conduit les parents, avec la meilleure intention du monde, à imposer un mode de vie, certaines études, un certain mariage aux enfants, dans le dessein de leur assurer au mieux la sécurité d'avenir, mais souvent au mépris de ce que ceux-ci désireraient. On retrouve cette même angoisse de l'insécurité dans tous les cas où des parents se révèlent des défenseurs fanatiques de l'état de choses établi, résistant opiniâtrement à toute affirmation ou revendication par les enfants d'un ordre nouveau.

Dans un autre domaine, il est des parents qui ne s'avouent pas anxieux alors qu'ils le sont tout autant que les autres, et même davantage, mais avec cette différence qu'ils n'en ont pas conscience, et qui de ce fait contaminent à leur insu leur entourage par leur angoisse. De ce nombre sont par exemple ceux que nous appellerons les *travailleurs acharnés*. Ce sont des gens qui ne peuvent s'empêcher de travailler, qui ne supportent pas le *farniente* et ne savent pas jouir de leurs loisirs. Au vrai, si quelque circonstance — par exemple une maladie, ou bien la retraite — les contraint au repos, ils sont tout aussitôt saisis d'angoisse et n'ont de cesse qu'ils ne se soient replongés dans le travail. On les a parfois appelés les *névrosés du Dimanche*, et le fait est qu'il s'agit là d'une véritable névrose, souvent liée à des sentiments inconscients de culpabilité; tout se passe pour eux comme si une voix intérieure leur soufflait à l'oreille : « Ne t'arrête pas, fainéant! tu dois travailler sans cesse ». A ce propos, les psychanalystes ont très justement souligné que le pouvoir de « supporter les loisirs » est un des traits essentiels de l'homme bien équilibré. Ici encore, l'influence éducative passe par l'inconscient : l'enfant éduqué par des parents « travailleurs acharnés » introjecte, avec le sentiment du devoir à remplir, l'angoisse sous-jacente, et il deviendra plus tard lui aussi un anxieux.

3. LE REFOULEMENT ET LES FORMATIONS RÉACTIONNELLES

Tous les mécanismes de défense du Moi étant suscités par l'angoisse, nous allons retrouver celle-ci, mais sous d'autres formes que précédemment, en étudiant cette défense très répandue qu'est le *refoulement inhibiteur des pulsions instinctives.*

On a vu que lorsqu'une pulsion est refoulée, d'une part elle garde son caractère premier de sauvagerie et d'inadaptation, ce qui la rend *ipso facto* dangereuse quand d'aventure elle parvient à se défouler; d'autre part, elle se soustrait à la conscience et elle est dangereuse aussi du fait même qu'elle échappe au contrôle du Moi; elle influence en effet à l'insu du sujet des domaines étendus de la personnalité, et elle peut aller jusqu'à se projeter au-dehors, étant alors attribuée abusivement à une autre personne que le sujet, lequel s'en croit à tort délivré.

Par exemple, un parent qui a refoulé son agressivité peut croire de très bonne foi qu'il élève ses enfants sans aucune hostilité ni violence. Il se targuera par exemple de ne jamais les frapper. Mais il advient alors qu'en vertu d'un déplacement, l'agressivité refoulée se manifeste par une attitude négative de critique, de censure, de malveillance déguisée, et qu'une simple parole, tout imprégnée de ce sadisme inconscient, fasse en ce cas plus de mal à l'enfant qu'une fessée.

On peut décrire ici plusieurs types de parents [1]. Voici d'abord les *Pessimistes*, qui poussent au drame les situations

[1] Types que nous avons décrits dans notre livre : *L'éducation dans la confiance* (édit. Stock; 1944).

les plus anodines et pratiquent en toutes occasions la politique du pire. On les entend dire à tout propos : « Tu n'en feras jamais d'autre!... Ces choses-là n'arrivent qu'à toi! Tu n'es qu'un maladroit! » ou proférer de ces mots définitifs qui semblent fermer les portes de l'avenir : « Imbécile! Toujours toi! Il est incorrigible! ». On connaît le cas, célèbre dans l'histoire littéraire, de *Madame Lepic*, la mère de *Poil de Carotte*, si remarquablement dépeinte par *Jules Renard*, lequel s'y connaissait en la matière puisqu'il a mis là en scène sa propre mère. Ne dit-elle pas de son fils : « S'il y a une tache dans l'air, une crotte sur la route, elle est pour lui ». Et à l'occasion d'un menu larcin : « On commence par voler un œuf, ensuite on vole un bœuf, et puis on assassine sa mère! ». Cas extrême bien entendu, et l'on doit, pour couronnement, rappeler que *Madame Renard*, apprenant que son fils, devenu poète, écrivait des vers qui lui avaient acquis la faveur de Paris, n'ayant pas pour autant désarmé, l'appelait avec mépris « le pisseur d'encre ».

Voici encore *les parents rabat-joie*, pour lesquels tous les élans spontanés de l'enfant ont en eux-mêmes quelque chose de coupable et doivent être réprimés. Leurs préceptes éducatifs abondent en interdictions de toutes sortes : « Ne fais pas ceci! ne fais pas cela! Tiens-toi tranquille! Tais-toi, tu parles trop! » et l'instant d'après : « Pourquoi ne dis-tu rien? » A l'extrême, il en est qui disent « qu'il faut briser la volonté des enfants pendant qu'il en est encore temps ». La mère de *Poil de Carotte* est ici encore un modèle insurpassé : « *Poil de Carotte*, dit-elle, veux-tu rire poliment, sans bruit " ou encore " Quand on pleure, il faut savoir pourquoi » et elle lui envoie une gifle. A table encore : « *Poil de Carotte*, réponds donc quand on te parle » *Poil de Carotte :* « Boui, bambam », et *Madame Lepic :* « Il me semble t'avoir déjà dit que les enfants ne doivent jamais parler la bouche pleine ».

Il y a aussi les *Sceptiques*, les *Ironiques*, et encore les *parents Juges d'instruction*, qui supposent toujours l'enfant coupable de quelque faute, même quand il n'a rien fait. Leurs phrases favorites sont : « Qu'est-ce que tu as encore fait ? Allons, réponds ! et ne mens pas surtout », cela accompagné d'un regard inquisiteur qui fouille au plus profond de l'âme de l'enfant. Parfois même, ils plaident le faux pour savoir le vrai, et ils finissent toujours par trouver ce qu'ils cherchent, la faute qu'ils soupçonnent, laquelle est non pas dans l'enfant, mais en eux, quoique bien cachée.

Le sadisme inconscient des parents peut se *rationaliser* sous la forme de principes éducatifs rigides, de règles qu'on impose à l'enfant « pour son bien », dit-on, et qui exercent sur lui une contrainte beaucoup plus paralysante que ne peut le faire la violence occasionnelle des coups. Nous avons donné un peu plus haut l'exemple de ce petit garçon à qui mère et grand-mère avaient de bonne heure inculqué que, selon qu'il leur obéissait ou leur désobéissait, il était l'ami du bon Dieu ou l'ami du Diable, et qui se trouvait par là écrasé de culpabilité.

Il convient aussi de souligner le rôle néfaste des formations réactionnelles rigides, qui substituent à la spontanéité naturelle de la vie affective une *moralité plaquée*, et obligent par là le sujet à se maintenir dans un rôle artificiel. Un cas typique est celui de l'enfant « trop sage », contraint de bonne heure de se comporter selon des règles strictes qui vont à contre-courant de sa véritable nature. Il est à remarquer que les parents ayant des formations réactionnelles rigides n'ont pas pour autant réussi à faire taire définitivement la voix de leurs instincts refoulés ; de sorte que, quand ils voient ces mêmes instincts se manifester chez leur enfant, ils sont saisis d'angoisse devant cette résurgence, véritable rappel en écho de leurs propres pulsions, et ils censurent l'enfant avec la même rigueur qu'ils ont employée vis-à-vis d'eux-mêmes dans le passé. « Rien ne m'énerve autant, disait une mère, que de voir mon fils désobéir »; or, elle avait été elle-même dans son enfance très désobéissante, et très censurée pour cela.

On peut dire, en généralisant, que rien n'irrite plus les parents que de voir se manifester chez leur enfant un défaut qu'ils ont eu eux-mêmes à un très fort degré dans leurs premières années et qu'ils ont dû combattre énergiquement. Et ce que nous venons de souligner pour l'agressivité vaut au même titre pour la sensualité, le puritanisme des parents, qui frappe d'interdit toutes les manifestations sexuelles de l'enfant, provenant chez eux d'une forte réaction contre leur érotisme précoce.

Dans le même ordre d'idées, il convient de souligner que *toute attitude éducative rigide est de surcompensation* et vise à neutraliser consciemment une attitude inconsciente contraire, laquelle est refoulée et maintenue refoulée par les formations réactionnelles. Un excellent exemple est celui de *l'autoritarisme.* Cette attitude, si éloignée de la véritable autorité, laquelle émane de la force de la personnalité, trahit toujours un caractère faible, qui a honte de sa faiblesse et croit pouvoir la dissimuler sous un masque artificiel d'assurance. L'homme qui a autorité par son caractère, par ses connaissances, ne craint pas qu'on le conteste; par contre, celui qui pratique l'autoritarisme ne souffre pas la contestation, car celle-ci ferait surgir au grand jour ce qu'il a mis tant de soin à refouler : la faiblesse de son caractère et de ses connaissances.

Dans une page de sa *Correspondance*, l'écrivain *Jacques Rivière* oppose l'*homme honnête* et l'*homme sincère* en disant : « *L'homme honnête est celui qui ne veut avoir que des pensées admises par tous ; l'homme sincère est celui qui a le courage d'avoir toutes les pensées* ». Opposition très juste, très applicable au problème des parents, et que nous retrouvons aussi en lisant l'*Évangile*, dans les attitudes contraires du *pharisien* et du *publicain*. Le pharisien, c'est l'homme honnête, l'observateur ponctuel des rites imposés par la Loi judaïque, qui a refoulé tout ce qui ne concordait pas avec cette stricte observance et qui prie debout, orgueilleusement, en disant : « *O Dieu, je te rends grâce de ce que je ne suis pas comme le reste des hommes* » Le publicain, c'est tout au contraire l'homme sincère, qui ne cherche pas à tricher avec lui-même, qui se prosterne à genoux et se frappe la poitrine en disant : « *Seigneur, je suis un grand pécheur ; aie pitié de moi* ».

N'oublions pas à ce propos que l'enfant, avec son intuition, perçoit l'inconscient de ses parents et n'est pas dupe de leur attitude extérieure. Assurément sa perception n'est pas consciente, et il ne saurait en général la formuler clairement; mais il réagit en accord avec elle. C'est ainsi par exemple qu'il pressent que l'attitude autoritaire de ses parents ou de ses maîtres d'école est de surcompensation, et qu'elle ne correspond pas à cette autorité réelle qu'il lui serait naturel de respecter.

4. LE CARACTÈRE OBSESSIONNEL

Quand les formations réactionnelles du Moi s'étendent à toute la vie instinctive, elles se constituent en manière d'être habituelle et marquent alors tout le comportement du sujet. Elles deviennent donc de véritables traits de caractère. L'on dit encore qu'il s'agit d'une *névrose de caractère*, voulant souligner par ce terme la rigidité si particulière aux manifestations névrotiques, comme on l'a vu. La dénomination d'*obsessionnel* est justifiée par le fait que les pulsions refoulées et surcompensées par les formations réactionnelles tendent toujours, en vertu de leur dynamisme propre, à s'exprimer dans le Moi conscient, mais ne parviennent à le faire, à cause de la censure, que sous la forme particulière de l'obsession, dont nous avons déjà parlé. Cependant, alors que dans la *névrose obsessionnelle* proprement dite, les idées et les actes obsédants occupent le premier plan et tourmentent continuellement le sujet, dans le simple *caractère obsessionnel*, elles sont à l'arrière-plan, étouffées par l'importance des formations réactionnelles.

Ce caractère obsessionnel est très répandu et conditionne beaucoup d'attitudes parentales qui se révèlent peu favorables à l'épanouissement de la personnalité enfantine. Comme nous l'avons dit, les formations réactionnelles d'ordre, de propreté, de discipline, de ponctualité, de politesse, d'obéissance aux règles, au lieu d'être au service d'une meilleure adaptation dans un but de créativité, sont ici érigées en fins en soi et se présentent comme des « manies ». *Les parents de caractère obsessionnel montrent dans l'éducation de leurs enfants une rigidité anormale*. Pour eux, toutes les manifestations de spontanéité naturelle de l'enfant doivent être réprimées ou, à tout le moins, soumises à un contrôle sévère.

Les emplois du temps réglés et les horaires stricts sont pour de tels parents de la plus haute importance. Cela commence dès le nourrissage : les repas doivent être fixés à la minute près, et les quantités de nourriture exactement mesurées. Que certains enfants, de par leur tempérament particulier, puissent avoir besoin de repas plus ou moins fréquents, plus ou moins substantiels, n'entre pas en ligne de compte, et on les laissera pleurer par respect pour la règle.

De même, l'exigence réactionnelle de propreté fait qu'on ne touche pas les bébés, qu'on se refuse à les prendre contre soi, qu'on se refuse à les embrasser, ce qui, on l'a vu, les frustre d'un besoin essentiel. La *crainte de la saleté* — formation réactionnelle contre le sadisme anal — conduit les parents obsessionnels à vouloir préserver leurs enfants de tous les contacts avec les gens, les animaux ou les objets les plus divers. La *phobie des microbes* est une rationalisation très fréquente de cette crainte de la saleté, comme on l'a vu. Il convient de souligner que la médecine a beaucoup favorisé de telles attitudes phobiques, notamment dans la période qui a suivi les admirables découvertes de *Pasteur* sur le rôle pathogène des microbes; il ne saurait être question de méconnaître qu'au début l'application des méthodes pastoriennes à la puériculture a préservé un grand nombre de nourrissons de maladies qui jusque-là étaient souvent mortelles; mais la rencontre de préceptes d'hygiène justifiés et des caractères obsessionnels a rapidement engendré une technique d'élevage qui visait à l'élimination de tout ce qui était « sale » (à quoi on reconnaît la formation réactionnelle), à une véritable stérilisation qui, il faut bien le dire, s'est peu à peu révélée comme étant stérilisante surtout pour les enfants eux-mêmes.

Au sujet des *emplois du temps*, il convient de réfléchir à l'anomalie qui consiste à minuter rigoureusement chaque action, alors que l'essentiel n'est pas dans ce minutage, mais dans la bonne réalisation de ce qu'on fait. Soulignons par exemple la manie des parents obsessionnels, quand sonne l'heure du repas, d'exiger que les enfants abandonnent à la seconde même leur jeu et se précipitent à table, alors que les enfants, avec le sérieux — nous disons bien le sérieux — qu'ils mettent à tout ce qu'ils font avec cœur, se préoccupent moins d'aller manger que de mener à bien ce qu'ils ont commencé, jeu ou travail.

Le caractère obsessionnel est fréquent aussi chez les maîtres d'école. Il convient de remarquer que l'école traditionnelle, avec ses exigences souvent excessives d'ordre, de discipline, de programmation, favorise la formation d'un tel caractère, tant chez les professeurs que chez les élèves. Par exemple, s'il est certes utile d'écrire lisiblement puisqu'on écrit pour être lu, il est par contre névrotique d'exiger d'un jeune enfant une écriture d'une régularité parfaite, où toutes les lettres ont la même inclinaison et la même hauteur, car c'est prendre pour fin ce qui n'est qu'un moyen au service de l'adaptation.

Même critique en ce qui concerne le dessin. Au dessin libre, où l'enfant exprime d'une manière quelque peu sauvage sa spontanéité créatrice et où les couleurs débordantes trahissent une sublimation encore insuffisante des pulsions anales, l'école prétend souvent substituer le dessin bien réglé, sans bavure aucune, d'ordinaire copié sur un modèle, ou bien, pour les tout petits, le coloriage d'une figurine imprimée d'avance, avec comme idéal de ne pas laisser la couleur dépasser si peu que ce soit le trait imprimé.

On sait d'autre part combien, pour certains éducateurs, la règle en vient à étouffer le jaillissement primesautier. On n'apprendra pas une langue vivante en la parlant telle qu'elle doit être parlée, mais à coups de règles de grammaire. On ne fera pas de musique ni de chant, mais uniquement du solfège durant des mois. Non pas que la grammaire, que le solfège ne soient utiles, mais encore une fois ce sont des moyens, non des buts; le but, c'est d'apprendre à parler et à écrire une langue, ou à pratiquer la musique.

C'est tout le problème de la liberté et de l'épanouissement de la personnalité individuelle qui est ici posé. Les réformes pédagogiques, comme celle de *Freinet* entre autres, visent précisément à favoriser la liberté créatrice de l'enfant dans ce qu'elle a de particulier pour chaque écolier. Il apparaît au contraire que, sous des gouvernements autoritaires, on demande à l'École de former par une discipline rigide des citoyens soumis aux règles, partisans dociles et aveugles de l'ordre établi.

La mécanisation des matières d'enseignement facilite bien évidemment la tâche d'un maître de caractère rigide. Plans et horaires de travail, apprentissage par cœur de tables et de textes, examens sous forme de questionnaires réglés, cotation chiffrée des réponses, tout cela aboutit à un apprentissage rapide qui favorise une formation en quelque sorte technique des élèves. Il est à remarquer que cela se pratique jusqu'à l'Université, sous la forme de cours magistraux que l'étudiant doit enregistrer passivement s'il veut réussir ses examens.

On ne saurait trop s'élever contre de telles méthodes d'enseignement et, rappelant avec *Montaigne* « *qu'une tête bien faite vaut mieux qu'une tête bien pleine* », revendiquer pour l'élève et l'étudiant, à tous les niveaux, la possibilité de développer ses facultés intellectuelles et affectives suivant les voies d'un libre épanouissement, seules capables d'aboutir à des créations [1]. Comme on l'a vu, le caractère obsessionnel d'un professeur s'y oppose parce qu'il refuse, pour lui-même

[1] Bien que cela nous écarte un peu du sujet de ce livre, il n'est pas sans intérêt de remarquer que la civilisation industrielle et technique dans laquelle nous sommes engagés représente, selon le point de vue psychanalytique, une fixation collective au stade sadique-anal. Elle repose en effet sur deux éléments qui sont spécifiques de ce stade : la *puissance*, avec son côté inconditionnel et brutal, traitant les hommes comme des objets, non comme des sujets — et l'*argent*, représentant pour l'inconscient ce qu'on thésaurise, ce qu'on retient, c'est-à-dire les excréments considérés comme possession narcissique suivant le point de vue du stade sadique-anal. Une société correspondant au stade œdipien et à son dépassement ferait par contre régner des relations humaines basées sur le respect mutuel du Moi et du Toi et dans laquelle ce qui est but pour les sadiques-anaux ne serait qu'un moyen au service de la liberté et de l'épanouissement des êtres humains.

et pour les autres, toute manifestation de libre spontanéité, qu'il tend à s'imposer et à imposer aux autres des règles strictes et une autorité non contestée. Un homme de personnalité *authentique*, qu'il soit professeur ou parent, n'a pas cette attitude-là; il laisse affluer à la surface de son être ses sources profondes; il a plus souci d'être sincère qu'honnête, pour reprendre les termes de *J. Rivière;* il n'hésite pas à se laisser contester par ses élèves, sachant que par là il favorise chez ceux-ci la libre expression, et que d'autre part il peut aussi s'enrichir lui-même par ce que les autres lui apportent.

Dans un domaine voisin, les caractères obsessionnels, ayant refoulé leur vie affective, se targuent souvent d'avoir vis-à-vis des enfants une attitude neutre qu'ils estiment de grande valeur éducative. Ils se refuseront par exemple à montrer à l'égard de tel ou tel enfant de la sympathie ou de de l'antipathie. C'est ici le lieu de rappeler qu'une telle attitude est un leurre, que *la neutralité affective d'un éducateur ne peut être que le résultat d'un refoulement.* Comme nous l'avons dit déjà, il vaut mieux pour un éducateur manifester de temps à autre son agressivité en prenant conscience des motifs de celle-ci (par exemple se mettre en colère contre un enfant trop récalcitrant) que de la refouler en s'affirmant sans aucune hostilité à l'égard d'aucun enfant; car le sadisme réprimé s'extériorise alors, plus ou moins rationalisé, sous la forme de jugements critiques incessants, de blâmes ou d'ironie systématique, en apparence tout à fait légitimes, mais dont le caractère agressif sera vivement ressenti par l'inconscient de l'enfant et l'inhibera.

Dans le même sens, il faut souligner que *le refoulement des sympathies et des antipathies favorise directement la formation de préjugés.* C'est ainsi que, chez un enfant qu'on n'aime pas, sans se l'avouer franchement, on trouvera, par une rationalisation abusive, des défauts de caractère, qui seront autant de justifications de l'hostilité qu'on lui voue.

De manière analogue, on critique parfois le châtiment physique infligé « à chaud » pour sanctionner la faute d'un enfant, mais il faut reconnaître au contraire que la punition « exécutée » à froid, plus ou moins longtemps après l'action qu'elle censure, peut avoir des conséquences plus néfastes, du fait qu'elle est alors très souvent l'expression du sadisme de l'éducateur.

5. ATTITUDES INCONSCIENTES DES PARENTS DEVANT LA GUÉRISON DE LEUR ENFANT

Il est normal de penser que lorsqu'un enfant présente des troubles pathologiques, ses parents désirent de tout leur cœur sa guérison et mettent tout en œuvre pour l'obtenir. « De tout leur cœur », cela veut dire tant consciemment qu'inconsciemment. Or là est précisément la difficulté : en ce que souvent l'inconscient n'est pas d'accord avec le conscient, et vient contrarier les meilleures intentions conscientes.

Assurément, quand les parents réalisent un couple équilibré, et par là acceptent leur enfant pour ce qu'il est et pour ce qu'il peut être dans l'avenir, autrement dit l'acceptent et l'apprécient en tant que *sujet*, leur désir de le voir, quand il est malade, accéder à la guérison, est un désir sincère, profond, sans réserve, uniquement fondé sur les perspectives qui s'offrent à l'enfant de réaliser au mieux son avenir. Et s'il le faut, ils auront la force de supporter les frustrations que peut leur imposer la mise en œuvre du traitement jugé nécessaire.

Mais quand, ce qui est fréquent, les parents n'ont pas atteint cette maturité qui leur permettrait de juger sainement les choses, qu'ils tendent en conséquence à considérer leur enfant non comme un sujet, mais comme un objet, quelle que soit leur bonne volonté consciente de le conduire à la guérison, ils seront portés à considérer cette guérison en fonction, non de l'enfant, mais d'eux-mêmes, de leur propre équilibre, de leur propre bien-être, donc dans une perspective faussée par des facteurs affectifs inconscients.

En premier lieu, il faut considérer que lorsqu'un enfant présente un désordre nerveux quelconque, il n'en est pas en général lui-même affecté douloureusement; de sorte que la consultation n'est pas sollicitée par l'enfant lui-même, mais par ses parents. Or il est fréquent que les parents considèrent comme pathologiques uniquement les troubles qui les gênent. Dans notre livre sur *L'examen psychologique d'un enfant* [1], nous avons intitulé un de nos chapitres : *Enfant insupportable ou insupporté?* pour bien marquer que, lorsqu'on se plaint du comportement d'un enfant en le qualifiant d'insupportable, il advient assez souvent que l'anomalie ne soit pas dans l'enfant, mais dans les parents, et soit due à l'intolérance de ceux-ci, qui ne « supportent » pas ce que des parents équilibrés supporteraient et considéreraient comme normal.

Il convient de remarquer que beaucoup d'adultes sont gênés au-delà de toute mesure par l'instinct d'expansion des enfants, en dépit de ce que les manifestations de cet instinct expriment l'abondance de la vitalité et qu'on doit les considérer comme favorables au développement. Que, réciproquement, ces mêmes adultes valorisent les comporte-

[1] *L'examen psychologique d'un enfant*, (éd. Dessart).

ments d'enfants sages («il est très gentil; on ne l'entend pas»), qui trahissent pourtant une inhibition contraire à l'épanouissement de la personnalité, comme on l'a vu. De sorte qu'on est très souvent consulté pour des enfants de forte expansion vitale, remuants, bruyants, impulsifs, brise-tout, volontaires jusqu'à l'entêtement, et qu'on appelle péjorativement des « caractériels », tandis que, dans la même famille, il nous sera donné d'observer des frères et sœurs qui semblent ne poser aucun problème, alors que leur précoce inhibition pourra entraîner plus tard des troubles sérieux. Voici par exemple deux frères nés à un an d'intervalle et auxquels la mère, une maniaque de la propreté, a voulu imposer de très bonne heure une discipline sphinctérienne stricte, les mettan sur le petit pot dès les premiers mois, et plus tard se contraignant elle-même à se lever jusqu'à trois fois chaque nuit pour leur éviter de souiller leur lit. L'aîné a cédé à la contrainte maternelle : il a été propre très tôt, mais il est encore, à l'âge de 8 ans, énurétique nocturne constant et, par identification à sa mère, il est devenu de très bonne heure un maniaque de la propreté. Le second, par contre, a résisté, a continué de se souiller, est encore fréquemment encoprésique à l'âge de 6 ans et demi, et fait une violente opposition à sa mère. Comme on peut le penser, ce n'est pas pour le premier que la mère consulte, mais seulement pour le second, dont le comportement lui apporte une gêne bien plus grande.

En second lieu, et dans une perspective très voisine, les symptômes qui motivent la demande de consultation, et dont les parents désirent qu'un traitement les fasse disparaître, sont en général non la cause même du mal, mais simplement un effet... Pour guérir l'enfant, c'est la cause qu'il faudrait atteindre. Mais cette cause, nous avons vu qu'elle est le plus souvent liée à la névrose parentale, aux relations anormales que cette névrose induit et qui affectent la vie profonde de l'enfant. Lors donc que le traitement institué, négligeant les symptômes apparents ou les dépassant, s'emploie à atteindre la cause, il advient qu'il suscite chez les parents une vive angoisse de culpabilité ou d'insécurité, de par le fait qu'accepté, il les obligerait à remettre en question leur fragile équilibre; on les voit alors, contrairement à toute raison, s'opposer aux efforts du thérapeute. Le plus habituellement, ils interrompent d'eux-mêmes le traitement dès que les symptômes les plus gênants ont disparu, ou dans d'autres cas, ils allèguent une aggravation temporaire des troubles pour retirer leur confiance au thérapeute.

Voici par exemple une mère qui amène son fils unique, âgé de 13 ans, parce qu'il est très souvent distrait et qu'il a de mauvais résultats scolaires. Or il apparaît rapidement que cette mère a une fixation œdipienne anormale à son fils, et qu'un conflit névrotique s'est développé chez celui-ci, pris entre son attachement à sa mère et son désir d'indépendance. La psychothérapie parvient à le faire accéder à la maturité de son âge et à le libérer de ses attaches œdipiennes paralysantes. Mais cette libération suscite chez la mère une revendication anxieuse qui lui fait refuser la continuation du traitement.

Voici le cas d'une fillette de 12 ans qu'on nous amène pour un état d'inhibition très accusée, se répercutant fâcheusement sur ses progrès scolaires. L'analyse montre qu'elle est paralysée par une grave névrose de scrupule. Mais la proposition d'une psychothérapie n'est pas acceptée par les parents, fanatiquement attachés à leur morale religieuse et qui craignent plus que tout pour leur fillette une libération de sa vie instinctive.

En troisième lieu — et le cas de la fillette précédente fait transition — il apparaît que souvent les troubles névrotiques d'un enfant font pendant à ceux de ses parents, et qu'en conséquence tout changement dans l'équilibre de la personnalité de l'enfant risque de provoquer un changement équivalent dans l'équilibre des parents. Ainsi nous avons montré précédemment que les parents ayant des formations réactionnelles rigides ont peur de perdre pied quand ils constatent chez leur enfant ces mêmes manifestations instinctives qu'ils ont eu tant de peine à refouler en eux-mêmes; ils ne se maintiennent donc en équilibre qu'à la condition de pouvoir contenir, fût-ce de force, la spontanéité instinctive de l'enfant. L'idéal de l'enfant « tout à fait sage » procède de cet état d'esprit. De sorte que quand une psychothérapie parvient à desserrer l'étau rigide qui maintenait un enfant dans son inhibition, et que par exemple l'agressivité refoulée vient à se libérer tant au cours des séances de traitement que dans la vie familiale, on a beaucoup de peine à obtenir que les parents acceptent la poursuite du traitement, tant le comportement de leur enfant les inquiète, incapables qu'ils sont de comprendre qu'il y a là une libération agressive nécessaire à l'épanouissement de la personnalité.

Les psychologues de l'enfance savent d'expérience que les plus grandes difficultés rencontrées au cours d'un traitement proviennent souvent moins du jeune malade que de ses parents. Aux parents qui liront ces pages d'essayer de voir clair en eux-mêmes pour se défaire des préjugés auxquels les entraîne leur propre subjectivité, et pour parvenir à régler leur conduite uniquement en vue du bien de leur enfant. Mais quand la névrose met une taie sur l'œil et empêche de voir clair, il n'est le plus souvent d'autre ressource, pour guérir l'enfant, que de traiter aussi les parents.

6. RELIGION ET NÉVROSE

Il a été souvent reproché à *Freud* par des croyants d'avoir soutenu que « *la religion est une névrose* ». On ne saurait assurément dire cela d'une foi religieuse profonde et sincère, car nous savons que, tout à l'opposé d'un état névrotique, une telle foi peut dynamiser toutes les puissances de l'être et favoriser au maximum la sublimation des forces instinctives, comme il se voit notamment chez les saints.

Mais il faut reconnaître avec *Freud* que beaucoup de pratiques religieuses s'apparentent de très près à des manifestations névrotiques. Par leur caractère rigide, bien des cérémonies religieuses, bien des prières et des rituels appartiennent beaucoup plus au mécanisme du refoulement et aux formations réactionnelles qu'au processus de sublimation. Encore ne tenons-nous pas compte ici de toutes les superstitions religieuses, qui ont un caractère manifeste de conjuration névrotique.

Ajoutons que, dans le domaine pratique, il convient d'opposer deux morales religieuses : la *morale de l'interdit* et la *morale de l'amour*.

La *morale de l'interdit* ou *morale du tabou* est un code rigide de règles de conduite, d'approbation des conduites bonnes et d'interdiction des conduites mauvaises. Le rapprochement s'impose ici avec le refoulement psychanalytique. L'homme de la morale du tabou refuse les forces mauvaises qui sont en lui : il les réprime, les enferme dans son inconscient et ne les reconnaît plus dès lors pour siennes. Il peut alors croire de très bonne foi qu'il ne commet point le péché et dire avec orgueil, comme le Pharisien de l'*Évangile* cité plus haut : « O Dieu, je te rends grâce de ce que je ne suis pas comme le reste des hommes » Une telle morale ne fait pas des hommes sincères avec eux-mêmes, au sens où nous avons vu que l'entendait *J. Rivière*, mais des hommes honnêtes, c'est-à-dire des hommes qui n'ont que des pensées permises et n'assument pas entièrement leur personnalité profonde. On a vu que les forces mauvaises refoulées dans l'inconscient ne sont pas pour autant supprimées, et que, par le mécanisme de la projection, elles sont souvent attribuées aux autres, de sorte que le sujet tend à accuser autrui de ce dont lui-même est coupable : « *Il voit une paille dans l'œil de son voisin et ne voit pas une poutre dans le sien* ».

Ainsi voit-on souvent des parents à la morale rigide censurer avec sévérité dans leurs enfants des défauts qu'ils ont eux-mêmes à un bien plus haut degré, mais refoulés et ignorés consciemment.

Nous avons montré d'autre part que, dans ce processus de refoulement, toutes les forces vives de la personnalité sont absorbées par la lutte continue du Moi contre les instincts, et qu'alors il ne reste plus de force disponible pour une véritable œuvre morale. Ce qu'a exprimé de manière saisissante un philosophe en disant : « *Certains prêtres disent qu'il faut consacrer toutes ses forces à lutter contre le mal; mais je connais beaucoup de braves gens qui ont tellement consacré leurs forces à lutter contre le mal qu'il ne leur en est plus resté pour faire le bien* ».

Il est facile de comprendre par ce qui précède que la morale religieuse de l'interdit est de même ordre que l'inhibition névrotique, et qu'elle justifie en conséquence la critique de *Freud*.

Tout à l'opposé est la *morale de l'amour*, qui culmine dans l'enseignement de *Jésus Christ*. La Loi religieuse, avec ses règles strictes et ses interdits, n'est pas ici abolie, mais transcendée par l'amour. Selon *Jésus*, celui qui aime a accompli la Loi, et il est prescrit *d'aimer son prochain comme soi-même*. Il faut remarquer que le premier amour au cœur de l'homme est l'amour de soi, qu'il n'est en conséquence pas interdit de s'aimer soi-même, pourvu qu'on aime pareillement les autres. Nos forces instinctives ne sont donc pas mauvaises en elles-mêmes; elles ne le sont que si elles restent égoïstement encloses, imperméables à l'Autre, et qu'elles gardent leur caractère primitif de sauvagerie, comme cela se produit chez les hommes de la morale de l'interdit. *Jésus* nous enseigne à les pénétrer d'amour, à transformer ainsi les forces du mal en forces du bien; il ne reproche pas à *Madeleine* d'avoir beaucoup aimé, car, bien que son cœur se soit égaré, il était ouvert à l'amour, et c'est cette ouverture qui compte avant tout.

Nous rejoignons ici la psychanalyse avec sa sublimation des forces instinctives. Par exemple, faut-il condamner la sexualité et l'étouffer sous des interdits? Non certes, car l'âme doit passer par l'expérience de l'amour sensuel pour élever peu à peu les sens à son niveau. L'amour est d'abord égoïsme à deux, mais il comporte cependant des élans généreux, et grâce à ces élans, l'âme s'exalte, élargit sa vision du monde; ainsi l'amour à deux peut être le marchepied de l'amour universel. Par contre, celui qui éteint de bonne heure l'amour en lui-même sous prétexte que la sensualité est mauvaise ne pourra connaître pareil rayonnement de l'âme.

L'homme qui assume toutes les forces qui sont en lui, bonnes et mauvaises, et qui par là se reconnaît pècheur, qui reconnaît avoir en lui un monstre intérieur, un monstre d'avidité, de sensualité, d'orgueil, celui-là peut parvenir à sublimer, à civiliser ces forces mauvaises; même s'il n'y parvient que partiellement, sa personnalité connaîtra un épanouissement spirituel que ne peut jamais atteindre l'homme qui vit sous la morale de l'interdit.

Un bon exemple pour montrer l'opposition de la religion authentique et de la religion névrotique est celui du *scrupule.* Le *scrupule religieux* va avec un sentiment juste du péché, de la culpabilité de nos actes, et peut conduire par cette prise de conscience à un perfectionnement moral croissant. Tout à l'opposé, le *scrupule morbide*, la *névrose de scrupule* est liée au refoulement de la culpabilité, s'exprimant par des obsessions qui n'ont qu'un rapport lointain avec une faute réelle, et qui, de ce fait, engendrent sans fin les mêmes rituels absurdes, sans aucune issue vers un progrès moral. Par exemple, l'obsédé qui croit voir une tache sur sa main et qui la lave 20, 30 fois de suite sans en ressentir un apaisement de sa culpabilité, est en fait inconscient de la tache qu'il a « sur l'âme », et transpose un problème spirituel sur un plan purement matériel, ce qui le fait tourner sans fin en rond.

Péguy, dont les poèmes sont tout empreints d'une vraie spiritualité, a remarquablement dépeint ces scrupuleux qui tournent en rond et qui par là perdent de vue l'essentiel de leur but :

« Quand le pèlerin, quand l'hôte, quand le voyageur
A longtemps traîné dans la boue des chemins,
Avant de passer le seuil de l'église
Il essuie soigneusement ses pieds,
Avant d'entrer,
Parce qu'il ne faut pas que la boue des chemins
Souille les dalles de l'église;
Mais une fois que c'est fait,
Une fois qu'il s'est essuyé les pieds avant d'entrer,
Une fois qu'il est entré, il ne pense plus toujours à ses pieds,
Il ne regarde plus toujours si ses pieds sont bien essuyés,
Il n'a plus de regard que pour l'Autel,

Il n'a plus de cœur, il n'a plus de regard, il n'a plus de voix
Que pour cet Autel où le corps de Jésus,
Et le souvenir et l'attente du corps de Jésus
Brille éternellement »

Regarder ses pieds ou bien regarder devant soi vers le but désiré, tel est le dilemme. Si je veux en marchant atteindre la ville voisine, je n'y parviendrai pas en m'arrêtant à chaque pas pour essuyer la poussière de mes pieds.

Il y a donc entre le scrupule normal et le scrupule morbide toute la distance qui sépare la sublimation du refoulement. Il en est de même pour la notion de *culpabilité*. Le croyant se reconnaît coupable des fautes qu'il a réellement commises; il s'en repent et il s'efforce de s'amender, ce qui le fait progresser spirituellement. Mais la psychanalyse nous a révélé l'existence d'une *culpabilité morbide*, qui résulte de ce que des censures trop rigoureuses ont dans la jeunesse frappé d'interdit des pulsions vitales *légitimes*, lesquelles, refoulées dans l'inconscient, y entraînent avec elles la culpabilité dont on les charge. L'enfant devenu adulte continuera d'être en proie à cette culpabilité inconsciente, qui ne se justifie par aucune faute réelle. La psychanalyse nous a montré à quels actes anormaux cette culpabilité morbide peut conduire : tortures qu'on s'inflige pour expier une faute imaginaire, rituels bizarres de purification (tel que le lavage compulsif des mains), échecs dans la vie pour s'interdire la joie de la réussite, parfois même maladies, auto-mutilations ou tentatives de suicide.

Les parents doivent être bien informés de ces problèmes, être capables de distinguer en eux-mêmes et chez leurs enfants ce qui est scrupule et culpabilité normale de ce qui est scrupule et culpabilité morbide.

Il faut souligner ici que, trop souvent, parents et

éducateurs, transportant leur propre névrose dans leur conception et leur morale religieuses, font de la Loi religieuse et des règles morales interdictrices l'essentiel de leur croyance, et favorisent par là le développement chez l'enfant d'un état névrotique, justifiant alors la critique de *Freud.* Mais encore une fois, *cette critique ne saurait atteindre la religion elle-même dans la mesure où celle-ci professe l'amour et tend à la libération intérieure de l'homme.*

CHAPITRE V

PSYCHOLOGIE DE LA PUNITION

L'éducation idéale, on l'a vu, doit tendre à la sublimation des pulsions instinctives, en accord avec les exigences de la vie en famille et en société. L'expression courante « élever les enfants » signifie précisément les aider à transférer la force première de leurs pulsions sauvages sur un plan plus élevé de civilisation.

Mais, comme nous l'avons montré, il ne peut manquer d'y avoir dans le processus de sublimation une certaine part de répression, qui introduit en éducation la nécessité de la punition.

Certes, nous savons que certains ont voulu, par réaction contre la sévérité souvent excessive de la répression, promouvoir une éducation sans obligation ni sanction. Particulièrement, depuis la psychanalyse, il est des parents qui, ayant entendu parler des dangers du refoulement et faisant de cette notion une interprétation abusive, redoutent que toute répression n'engendre chez l'enfant des « complexes », et ne fasse par là de lui un névrosé.

Or il n'en est rien. Et l'expérience montre au contraire qu'une tolérance excessive, laissant l'enfant libre d'assouvir sans aucune contrainte sa vie pulsionnelle, est une entrave sérieuse à un développement psychique équilibré. Car d'une part, comme on l'a vu, la maturation ne peut s'opérer que par une certaine frustration des désirs, faute de quoi le Moi ne peut se fortifier et se montrera ultérieurement très vulnérable (ainsi chez *l'enfant gâté*). D'autre part une liberté intégrale engendre presque toujours chez l'enfant de l'angoisse, car on se sent beaucoup plus en sécurité quand on est entouré, protégé par des barrières; comme le dit très bien le *Docteur Racamier : « un bon père défend, au double sens du mot ; il défend l'enfant à la fois contre les dangers extérieurs et contre le danger intérieur des pulsions* » Et il est à remarquer que l'enfant qui n'est pas défendu contre lui-même a l'impression qu'il n'est pas défendu non plus contre le monde extérieur.

Bien loin par conséquent que la psychanalyse préconise une liberté totale de la vie instinctive, comme on l'a dit parfois à tort, elle justifie la nécessité en pédagogie des punitions restrictives.

Cependant, et c'est là une différence essentielle, elle demande *que l'éducateur soit pleinement conscient des motifs qui le font agir*, c'est-à-dire qu'il punisse en toute connaissance de cause, et non en vertu de motifs inconscients qui échappent à sa compréhension et à son contrôle.

Il importe donc que, pour être efficace, une punition soit adéquate au défaut qu'on veut corriger, ce qui implique en particulier la connaissance précise des stades du développement, car à chaque étape de maturation correspond un mode différent d'action éducative.

I. LE DRESSAGE. LE STADE DU « IL FAUT »

Durant les deux premières années, avant que soit possible la communication avec l'enfant par le langage, la répression des instincts s'opère par *dressage*, comme chez les animaux.

L'éducation imite ici l'action de la Nature. Comme on l'a vu au Livre I, le développement de la sensibilité de vigilance au service de l'instinct de conservation aboutit à un contrôle de l'expansion instinctive, grâce auquel l'enfant s'adapte à la réalité qui l'entoure. Que par exemple il s'approche du feu et se brûle, et après quelques expériences de ce genre, il apprendra qu'il faut se tenir à distance. Qu'il se fasse mordre par un chien à qui il a tiré les oreilles, et il se gardera désormais d'une familiarité trop grande avec les animaux qu'il ne connaît pas.

On voit agir ici la nécessité, qui éduque les réflexes de l'enfant et lui donne des automatismes, des habitudes. Pareillement l'éducateur agit à ce stade en imposant à l'enfant certaines disciplines, qui limitent les impulsions sauvages de l'expansion libre.

On a vu que l'adaptation à la réalité exige de telles limitations, et que la force sauvage des instincts, pour être pleinement efficace dans le cadre de la vie civilisée, doit être canalisée. Nous l'avons souligné en particulier pour ce dressage très important qu'est l'éducation à la propreté sphinctérienne.

A ce stade, qu'on peut appeler le stade du « *Il faut* », il n'est fait appel ni à la réflexion de l'enfant, ni à sa conscience morale, puisque ni l'une ni l'autre n'existent encore. C'est la force répressive des éducateurs qui s'oppose à la libre expansion, le plus souvent par une action de choc : un « non » proféré énergiquement, une tape sur la main, une gifle, une fessée, un regard sévère, un éclat de voix ou n'importe quelle action de même effet. Mais, comme nous l'avons montré, l'essentiel est ici que, d'une part on n'inhibe pas l'activité instinctive, qu'on lui offre des voies permises où sa force puisse se donner libre cours, et que d'autre part le dressage s'opère sous le signe de l'affection, l'enfant trouvant dans l'amour qu'on lui porte une compensation nécessaire à la frustration qu'on lui fait subir.

Réciproquement, le dressage n'est plus une méthode éducative valable pour les enfants qui ont accédé à la réflexion et à la conscience morale, car il tendrait alors à faire des automates, mais non des personnalités libres et responsables.

Cependant, ultérieurement, dans tous les cas où il importe avant tout de former de bonnes habitudes, par exemple dans les cent petites activités de la vie quotidienne où il ne saurait être question de liberté individuelle, mais seulement de conformité à un ordre social qui est le même pour tous, le dressage constitue encore une part de l'éducation chez l'enfant plus grand. Ainsi il est normal qu'on habitue les enfants à se lever à une certaine heure, à faire leur toilette et à s'habiller dans les règles, à venir à table en même temps que les autres, à ne pas traverser la rue quand passe une voiture... etc. Et les sanctions en pareil cas s'imposent d'elles-mêmes : par exemple, l'enfant qui ne veut pas venir à table se trouve contraint, par là même, de prendre le repas au point où il le trouve quand il se décide. Empressons-nous de dire à propos de cet exemple que le dressage ne touche en rien aux motivations du sujet, et qu'on ne saurait lui demander d'exercer une action éducative en profondeur; ainsi, dans le cas où le refus de venir à table serait lié à une anorexie par opposition, la privation d'une partie du repas, étant le but recherché inconsciemment par l'enfant, n'aurait alors aucune action corrective réelle.

2. LA CONTRAINTE MORALE. LE STADE DU « JE DOIS »

Lorsque le Moi de l'enfant se constitue et acquiert une certaine conscience de ce qui est bien et de ce qui est mal, de ce qui est permis ou défendu, le dressage fait place à la contrainte morale.

Alors que, dans le dressage, les punitions physiques peuvent avoir leur rôle, par contre dans la contrainte morale ce rôle est tenu par le langage. Sont alors courantes les expressions : « *Tu ne dois pas ! Ce que tu fais n'est pas beau ! Tu n'es pas gentil !* »

On a vu au Livre I que l'instance interdictrice est d'abord extérieure au Moi, représentée par la voix des parents, dès l'âge de 1 à 2 ans. On sait qu'à cette période de la vie, l'estime de soi de l'enfant dépend essentiellement de l'estime que lui vouent ses parents en raison de sa conduite, et si cela vient à lui manquer, il connaît l'angoisse du rejet, qui peut équivaloir pour lui à un danger de mort. Il « achète » donc l'amour des parents par sa bonne conduite. On sait la fréquence avec laquelle l'enfant méchant s'entend dire : « *Tu n'es pas gentil ; maman ne t'aime plus !* », verdict qui est souvent plus dur à supporter qu'un châtiment corporel.

La condamnation morale a de tous temps été un instrument de répression éducative très efficace, notamment au service de la volonté de puissance des clercs. Nous le vîmes bien un jour dans une famille nombreuse où les frères aînés, ayant à se plaindre du tout petit de 3 ans qui les taquinait, au lieu de le frapper, trouvèrent d'instinct plus efficace, jeunes clercs en herbe, d'exercer sur lui une contrainte morale en lui disant : « Tu es méchant, Gérard, tu es méchant ! » Et le petit, accablé sous le poids de ce jugement moral, tout pâle d'émotion, se défendait en répétant anxieusement : « Non ! pas méchant, mia, pas méchant, mia ! ».

On a vu au Livre I que l'enfant grandissant *introjecte* peu à peu les idéaux et les interdits parentaux, et qu'il se constitue alors en lui, vers 4, 5 ans, une instance particulière de la personnalité qu'on appelle le *Surmoi*, laquelle dicte au Moi, *de l'intérieur*, ce qu'il est permis de faire et ce qui ne l'est pas. Dès lors, le « *tu dois* » est remplacé par le « *je dois* » : l'enfant obéit aux parents même hors de leur présence, car il a en lui une voix secrète qui se charge de le diriger. *La punition devient alors auto-punition*, et quand l'enfant enfreint les règles, il en est châtié par un sentiment anxieux de culpabilité, qui l'empêche d'être heureux.

Au stade du dressage, un appel à la contrainte de la loi morale ne peut être entendu, donc ne peut avoir aucune efficacité éducative. Par contre, dès qu'apparaît le Surmoi, cet appel a une efficacité plus grande que les coups. On saisira bien la différence entre dressage et appel à la loi morale par un exemple simple : quand un tout-petit prend sans cesse les jouets des autres enfants, il est parfaitement vain de tenter de lui expliquer pourquoi il ne doit pas le faire, car à cet âge, la notion de mon bien et du bien d'autrui n'existe pas encore; ou bien la loi de nécessité agira sous la forme des coups que donnera, pour reprendre son bien, l'enfant spolié, ou bien l'éducateur agira par dressage en imposant de quelque manière son « il faut ». Par contre, au stade du Surmoi, on pourra influencer l'enfant en lui rappelant que chacun a droit à ses jouets personnels et qu'il *ne doit pas* prendre ceux de son voisin.

Il faut considérer que le Surmoi ne se forme pas en un jour et que, après 4, 5 ans, les actions d'un enfant lui seront dictées pendant plusieurs années encore par le désir de plaire aux parents ou au maître d'école, ou de ne pas leur déplaire, en bref par la relation d'affection mutuelle qui le lie à eux. C'est ainsi qu'un enfant n'exécutera que bien rarement son travail d'école pour la seule satisfaction du devoir accompli; on sait que l'affection qu'il porte à son maître est d'ordinaire le mobile le plus puissant pour lui faire faire des progrès.

Ajoutons en terminant que le Surmoi, tout en s'apparentant à la conscience morale, ne se confond pas toutefois entièrement avec elle. En effet, la conscience morale représente un idéal collectif, fonction d'une Société, d'une Civilisation données, et par là, commun à un large groupe d'individus. Le Surmoi représente, lui, l'idéal particulier des parents de l'enfant, et les règles qu'il édicte peuvent donc différer de celles de la conscience collective, s'imposant tantôt avec moins, tantôt avec plus de rigueur que celle-ci. Le cas le plus intéressant au point de vue psycho-pathologique, et qui a éveillé la réflexion psychanalytique, est celui où le Surmoi est d'une très grande sévérité et tend à réprimer d'une manière excessive les pulsions instinctives. Toute manifestation spontanée est alors considérée comme coupable et comme devant être punie; mais, comme le processus est inconscient, le sujet n'est pas au clair sur les fautes qu'il aurait commises, et c'est de même d'une manière inconsciente qu'il s'inflige le châtiment. Comme on l'a vu, maints échecs qu'on ne peut expliquer, maintes maladresses, maints accidents, et même des maladies apparaissent à l'interprétation psychanalytique comme ayant la signification d'une auto-punition inconsciente.

3. LA COMPRÉHENSION DES MOTIVATIONS

Le dressage, on l'a vu, crée des habitudes, mais ne modifie pas profondément l'âme de l'enfant. De son côté, la contrainte morale des règles, quand elle opère seule, tout en amenant l'enfant à se conformer à l'ordre familial ou à l'ordre social, n'éduque pas non plus sa personnalité profonde.

Pour modifier par l'éducation cette personnalité profonde, il faut pouvoir comprendre les raisons qui poussent l'enfant à se comporter de telle ou telle manière, car c'est le préalable indispensable à toute sanction qui se veut efficace.

C'est en ce domaine que la psychanalyse nous a beaucoup appris, en nous faisant découvrir les motivations inconscientes de nombre de conduites enfantines, et en nous enseignant qu'aucune punition n'est valable si elle n'est inspirée par une prise de conscience des facteurs profonds qui sont à l'origine du comportement anormal.

Nous l'avons montré à diverses reprises par des exemples dans le cours de cet ouvrage. En voici d'autres.

Qu'un enfant *régresse à un niveau bébé* et se comporte par là d'une manière qui suscite la réprobation des parents, si on le censure avec sévérité, ce qui ajoutera une frustration à celles déjà subies, on risque d'accentuer la régression; on n'agira ici efficacement qu'en recherchant les causes de la régression, et en aidant l'enfant à retrouver le chemin de son expansion vitale momentanément bloquée. Qu'on considère sous cet angle le symptôme régressif particulièrement ennuyeux pour les familles qu'est la reprise d'une énurésie nocturne à l'occasion de la naissance d'un petit frère, et la fréquence avec laquelle on intervient en pareil cas par des fessées ou des traitements douloureux (par exemple « la grosse piqûre »), ou en faisant honte à l'enfant, méthodes éducatives qui se révèlent presque toujours inopérantes. Par contre, tout ce qui peut exalter l'expansion vitale, le désir de l'enfant d'être grand, a chance, en atteignant la cause profonde du trouble, de faire disparaître celui-ci : par exemple d'offrir à l'enfant un vélo, ou un jouet de « grand », de le faire coucher dans un « grand » lit ou encore de confier le tout petit à sa grand-mère tout en emmenant le grand avec soi pour une partie à laquelle le bébé ne peut participer.

Autre exemple. Fréquentes sont les *réactions de peur* d'un enfant, apparaissant au premier abord comme disproportionnées à la cause qui les suscite : peur d'une personne étrangère, peur d'un animal, peur de l'obscurité, peur du bruit, peur de l'eau. Il advient que si l'on veut contraindre l'enfant à dominer sa peur, on provoque chez lui de véritables crises de colère, et qu'on soit alors porté à réagir à celles-ci par une violence contraire. L'analyse psychologique en profondeur nous révèle ici l'importance de l'angoisse, suscitée un jour par un événement quelconque qui a dépassé la résistance du Moi, et qui réapparaît chaque fois que se reproduisent les conditions anxiogènes initiales.

Autre exemple encore : celui des *conduites de passivité masochique*. Il est des enfants qui se montrent d'un caractère insupportable et ne cèdent aux éducateurs que lorsque ceux-ci, excédés, leur donnent une correction. Comme aucune autre méthode éducative ne semble réussir avec eux, on prend l'habitude de les frapper. Mais lorsque, ce qui est fréquent, il existe chez ces enfants un masochisme inconscient, la méthode des coups, loin de corriger les défauts, les perpétue au contraire, car c'est précisément le châtiment corporel que les enfants en pareil cas recherchent et qu'ils s'arrangent pour obtenir.

Par exemple il est des enfants qui souffrent de n'être pas aimés comme ils le désireraient, qui croient à tort ou à raison qu'un de leurs frères est préféré des parents parce qu'il se conduit bien, et qui ne trouvent d'autre issue à leur situation de frustration affective que d'attirer l'attention sur eux par leur mauvaise conduite. Et lorsque leurs parents les frappent, ils se plaisent à cette relation sado-masochique, qui leur assure au moins, pensent-ils, un contact affectif qu'ils ne peuvent avoir autrement.

La situation est analogue chez les garçons qui ont fait

une inversion de l'Œdipe et qui, comme on l'a vu au Livre I, ont de ce fait un caractère passif et exagérément doux. Il advient qu'ils aient honte de leur passivité ou, ce qui revient au même, que des camarades leur en fassent honte, et qu'ils adoptent alors un comportement faussement agressif pour faire taire ce sentiment de honte. Cette agressivité, souvent inopportune, peut susciter de la part des éducateurs un châtiment physique. Or il est à remarquer que, chez ces garçons, du fait de leur passivité foncière, l'agressivité n'a pas pour but de vaincre, de remporter une victoire sur un autre, mais qu'elle recherche inconsciemment la défaite et l'humiliation d'être vaincu. De sorte qu'ici encore les châtiments physiques, loin de corriger ces garçons de leur défaut, les y enfoncent au contraire et tendent à perpétuer le cercle vicieux masochisme-pseudo-agressivité.

En pareil cas, l'interprétation du mobile secret de l'agressivité aidée par des mesures pédagogiques appropriées, est le seul moyen d'amener le sujet à un comportement mieux adapté.

4. LES PUNITIONS SADIQUES

On peut imaginer un éducateur idéal qui, lorsqu'il punirait, resterait parfaitement maître de lui-même et ne se laisserait pas entraîner par des motivations personnelles. Mais un tel idéal n'est que rarement réalisable, car il méconnaît que la relation éducative est un rapport entre deux êtres humains qui réagissent affectivement l'un sur l'autre. Comme nous l'avons précédemment souligné, l'éducateur qui se prétend neutre affectivement, le plus souvent ne l'est pas, mais sa neutralité est le résultat du refoulement de sa vie affective et par là elle peut être dangereuse par la méconnaissance de soi qu'elle comporte.

Si donc l'on ne peut pas être objectivement neutre, ce qu'il faut, comme la psychanalyse l'a bien montré, c'est être profondément sincère avec soi-même, c'est prendre conscience en toute lucidité des sentiments qu'on éprouve vis-à-vis de l'enfant. Si par exemple on ressent une certaine hostilité à l'égard d'une enfant par trop turbulent, il est de beaucoup préférable de l'extérioriser de temps en temps par une bonne colère, que de la refouler et de se mettre par là dans un état de mauvaise humeur chronique, dont l'enfant subira bien plus fâcheusement les effets.

D'ailleurs le seul moyen valable de modérer cette hostilité, c'est l'amour, et nous avons souligné qu'il ne saurait y avoir de bon éducateur sans amour des enfants. Rien n'est plus dangereux en effet en éducation que l'agressivité quand elle n'est pas tempérée par l'amour, car elle vire alors très facilement au *sadisme.*

Nous ne voulons pas parler ici des pulsions sadiques sans frein de ceux qu'on appelle « les bourreaux d'enfants », car leur sadisme est conscient, voulu, et les conseils éducatifs n'ont pas ici leur place.

Mais nous visons spécialement le cas des parents et des maîtres d'école dont le sadisme est inconscient, qui de ce fait croient de bonne foi, en dépit de leur usage abusif des châtiments corporels, se comporter en éducateurs et servir l'intérêt des enfants. D'après ce que nous avons dit au début de ce chapitre, les châtiments corporels, limités à l'indispensable bien entendu, doivent être réservés au dressage, et ils doivent, dès qu'est dépassé le stade du dressage, céder la place au dialogue, aux explications franches avec l'enfant. Tout au plus est-on fondé à admettre que, de temps à autre, une bonne colère de l'éducateur, une bonne fessée à l'enfant peuvent être utiles pour faire « un coup d'arrêt » à un enfant par trop insupportable.

En dehors de cela et dans la majorité des cas, les châtiments corporels ne sont que l'expression des pulsions sadiques des éducateurs, en dépit des rationalisations par lesquelles on prétend souvent les justifier. Jadis ils faisaient partie intégrante de l'arsenal éducatif des maîtres d'école, et l'on en abusait tant que la Loi a fini par les interdire. Ils sont cependant encore de pratique courante chez certains maîtres, chez ceux dont l'autorité naturelle est insuffisante et qui comptent plus sur leur force physique que sur leur force morale pour se faire obéir. Nous eûmes à intervenir un jour pour arrêter une « exécution » qu'un directeur d'école brutal infligeait à un petit garçon de 10 ans et qui avait déjà tuméfié le visage de l'enfant; comme nous tentions d'expliquer à ce maître sadique l'indignité de son attitude, il eût cette excuse : « Ce sont les parents du garçon qui m'ont demandé de le corriger, car il frappe sa petite sœur »; c'était probablement vrai, mais il était non moins vrai que, fort de cet argument, ce maître assouvissait sauvagement ses propres pulsions sadiques.

La psychanalyse nous enseigne ici que, très souvent, le sadisme des parents et des maîtres a des racines profondes et qu'il reproduit d'ordinaire une situation anormale vécue dans la propre enfance du sadique. Il n'est pas rare que cette situation ait été celle d'un milieu familial perturbé par de violentes disputes, par exemple en cas d'alcoolisme du père ou de la mère. Il n'est pas rare non plus qu'un adulte qui bat les enfants ait à se venger d'une humiliation secrète; et il arrive que le métier d'éducateur soit précisément choisi par des personnes qui, sans en avoir clairement conscience, ont besoin d'exercer leur tyrannie sur les enfants.

Il faut dire encore qu'il y a d'autres sadiques que ceux qui frappent. Ce sont ceux qui, au lieu d'en finir une bonne fois, instituent des punitions de longue durée : le piquet durant des heures, le cachot ou, ce qui est pis encore, les menaces à échéance retardée. Puis il y a les tortures morales, plus insupportables encore que les tortures physiques. Nous avons connu un maître qui, pour punir, ne donnait jamais comme pensum plus d'une ligne d'écriture, quelle qu'ait été la gravité de la faute; mais l'élève avait beau prendre à rédiger sa ligne le plus de soin possible, le maître y trouvait toujours à redire; et c'était là que commençait la torture; la moindre faute d'orthographe, la plus légère erreur de ponctuation, une lettre mal faite, un point sur i oublié étaient des prétextes pour doubler la punition; il fallait faire deux lignes, puis quatre, puis huit et ainsi de suite; l'élève était dès lors à la merci de son bourreau, et s'il plaisait à celui-ci — nous supposons que cela lui plaisait — on atteignait, le désespoir au cœur, jusqu'à cent lignes.

On pourrait penser, et certains le prétendent, que de tels châtiments sont parfois nécessaires pour obtenir la discipline et l'obéissance chez certains enfants difficiles. Mais l'expérience montre le contraire, et que si, dans l'immédiat, on semble avoir pu par là amender l'enfant méchant, à longue échéance les résultats de châtiments corporels sont contraires à ceux qu'on escomptait.

En premier lieu, loin d'engendrer l'obéissance, ces châtiments suscitent d'ordinaire une résistance passive, tantôt déclarée, tantôt secrète. Chez d'autres enfants, ils provoquent des accès de colère et de fureur qu'on est alors tenté de maîtriser par une violence accrue.

En second lieu, ils éveillent dans l'âme de l'enfant des sentiments de haine et une soif de vengeance. Certes, le rapport des forces est en général tel que l'enfant ne peut exprimer directement son hostilité contre l'éducateur brutal. Mais chacun sait que l'enfant apprend alors à dissimuler ses sentiments, adopte des attitudes sournoises d'acceptation qui peuvent faire croire qu'il s'est amendé. Mais la haine refoulée s'entretient en secret et cherche un exutoire; elle le trouvera dans les mauvais traitements que l'enfant battu fera subir aux camarades plus faibles que lui, à ses frères et sœurs ou aux animaux. Le directeur d'école dont nous avons parlé croyait que le petit garçon auquel il avait infligé une correction s'abstiendrait désormais de battre sa petite sœur. Naïveté! Chacun sait qu'en pareil cas, tôt ou tard le garçon se vengera sournoisement, et bien entendu de préférence sur la petite sœur qui l'a dénoncé.

En troisième lieu, les coups peuvent, chez un enfant de tempérament faible, engendrer une peur morbide, qui se reproduira, par déplacement, chaque fois que l'enfant sera en présence d'un adulte, au point de se marquer dans l'attitude habituelle. Qui n'a vu de ces petits à allure de « chiens battus », dont la seule présentation, l'échine courbée et la main levée devant le visage dès qu'on les approche, trahissent qu'ils s'attendent à chaque instant à être frappés!

En quatrième lieu, et ce n'est pas le moins grave, on peut reprocher aux châtiments corporels, lorsqu'ils sont fréquents, de développer chez l'enfant un masochisme qui va influencer fâcheusement tout son développement ultérieur. L'éducateur risque alors de se laisser prendre au piège en ne réalisant pas que, comme on l'a vu, si l'enfant masochique se conduit mal, c'est dans l'espoir, nous disons bien : *dans l'espoir* d'être battu, car il trouve dans cette relation sado-masochique une satisfaction particulière qui la lui fait rechercher.

CONCLUSIONS

CONSEILS AUX PARENTS ET AUX ÉDUCATEURS

Le dessein de notre ouvrage, c'est, nous l'avons dit, de fournir aux parents et aux éducateurs une *information* sur le rôle très important de l'inconscient dans la psychologie de chacun de nous, et par conséquent dans nos attitudes éducatives et nos relations avec les enfants. Mais plus encore qu'une information, ce que nous avons voulu, c'est *sensibiliser au problème de l'inconscient* tous ceux qui ont souci d'éduquer au mieux les enfants dont ils ont la charge.

La question doit être posée ici de savoir si un tel ouvrage peut atteindre son but dans tous les cas. Il faut avoir la franchise de répondre « Non! ».

Reconnaître en soi l'influence de l'inconscient implique, on l'a vu, une certaine liberté d'échanges entre l'inconscient et le conscient. Or cette liberté est abolie en cas de refoulement inhibiteur, tel qu'il s'en produit dans les névroses graves. C'est-à-dire que, lorsqu'il y a refoulement, si l'on met devant les yeux du sujet, parent ou éducateur, les tendances qu'il a refoulées, et qu'on lui explique en quoi elles peuvent perturber son action éducative, il ne voit pas ce qu'on lui montre et ne comprend pas ce qu'on lui explique.

Dans de tels cas, l'*information psychanalytique*, telle qu'elle est donnée dans cet ouvrage, ne peut suffire à amener une amélioration en profondeur des relations éducatives, car elle ne provoque chez ceux à qui elle s'adresse qu'incompréhension et rejet. Elle ne pourra être comprise que si l'on a au préalable fait cesser le refoulement et amené les tendances réprimées sous le regard de la conscience claire. L'information doit ici céder la place à une *formation*, c'est-à-dire à une psychothérapie en profondeur, qui puisse dénouer le conflit névrotique et rétablir la liberté des échanges entre l'inconscient et le conscient.

Il est donc des parents et des éducateurs qui, lisant cet ouvrage, diront qu'ils ne le comprennent pas, ou même que les concepts psychanalytiques sur lesquels il est basé sont faux.

En revanche, notre exposé trouvera audience auprès des parents et des éducateurs, même sujets à des troubles névrotiques, pourvu qu'il s'agisse de troubles mineurs, c'est-à-dire de ceux qui laissent subsister dans la personnalité ce que nous avons appelé un *secteur libre*. Nous visons donc ici les cas où il n'y a pas blocage des pulsions et où se trouve sauvegardée une certaine liberté dans le jeu des tendances et des défenses. De même que, comme on l'a vu, le traitement psychanalytique n'est indiqué pour les enfants nerveux que quand la névrose paralyse complètement la vie affective et intellectuelle, de même pour les adultes, ce traitement ne s'impose qu'en cas de blocage. Nous postulons donc que, dans tous les autres cas, l'information psychanalytique peut suffire à éclairer parents et éducateurs et à les guider dans leur action éducative.

Toutefois, cette information ne doit pas être comprise dans une perspective purement intellectuelle. Nous ne les connaissons que trop bien ces parents qui s'informent, se documentent sur les meilleures méthodes d'éducation, et, ainsi nantis d'excellents principes, échouent pourtant constamment dans l'application. Pourquoi ? Eh bien, c'est que ce qui compte ici avant tout, c'est l'état d'âme du parent, de l'éducateur. Cet état d'âme nécessaire tient en ceci : *s'accepter soi-même et accepter l'enfant.*

On a vu que le souci d'être un *honnête* homme, préoccupé surtout de bienséance et de règles, — souci qui culmine chez les caractères obsessionnels, comme on l'a vu, — aboutit à des attitudes éducatives rigides qui ne tiennent pas compte de la personnalité de l'enfant.

S'accepter, c'est avant tout être un homme sincère envers soi-même [1], c'est-à-dire être sans faux orgueil ni fanatisme, disposé à accepter simplement ce que notre inconscient nous révèle de nous-mêmes, en nous montrant tout ce qui persiste d'enfantin, d'égoïste, de sauvage dans notre mentalité d'adulte. Il importe de pouvoir l'assumer sans que l'angoisse nous conduise à le nier. Il nous importe de comprendre que ce qu'est notre enfant, avec toutes ses qualités et ses défauts, nous l'avons été pareillement dans nos premières années ; il faut par conséquent que nous nous reconnaissions en lui, et pour cela, nous devons nous libérer de la « moralité plaquée » dont trop souvent les habitudes de bienséance et d'hypocrisie de la vie sociale ont recouvert notre nature profonde.

[1] Cf. : ce que nous avons dit, après J. Rivière, de l'opposition de l'homme honnête et de l'homme sincère.

Par là, nous serons conduits à accepter aussi l'enfant. Il nous faut cultiver en nous-mêmes cette qualité précieuse entre toutes qu'est l'*ouverture*, l'*ouverture du cœur* et l'*ouverture de l'esprit*, essentielles, comme on l'a vu, pour que s'établissent de fructueuses relations entre le Moi et le Toi.

Être ouvert, être disponible à ce que l'enfant veut manifester, veut exprimer, c'est en premier lieu *ne pas juger*, ne pas dire « c'est bien » ou « c'est mal », car ce serait ramener son point de vue au nôtre, donc le refuser dans ce qu'il a de personnel et d'original. En second lieu, c'est par là même permettre à toutes ses tendances de s'épanouir dans un climat de liberté et de compréhension qui facilitera leur nécessaire sublimation.

Il convient de remarquer ici que les deux : *la sincérité avec soi-même* et *la disponibilité à autrui* sont solidaires, et que c'est dans la mesure exacte où l'on s'accepte qu'on peut accepter les autres. Beaucoup pensent que cette acceptation de soi est chose facile, trop facile, et que cette facilité même fait obstacle au progrès moral. Ils se trompent, confondant ici acceptation de soi et complaisance envers soi-même. L'expérience montre au contraire que l'acceptation sincère de soi, lorsqu'elle résulte d'une ouverture de cœur et d'esprit qui fait aussi accepter les autres, est un puissant facteur de changement et de progrès.

L'état d'âme requis pour devenir un bon éducateur implique pareillement que l'action éducative puisse reposer sur une *réflexion éducative*. L'action, quand elle opère seule, peut être dangereuse, précisément parce qu'elle nous porte entièrement vers le monde extérieur et nous fait négliger notre monde intérieur, celui de nos pulsions et de nos pensées secrètes. L'éducateur qui se veut efficace se doit de ne pas rechercher seulement l'efficacité dans l'action; il doit de temps à autre s'arrêter d'agir et se pencher sur lui-même pour s'interroger, pour amener à sa conscience ses motivations inconscientes et les analyser. On ne saurait lui reprocher de commettre des erreurs éducatives, car les meilleurs en commettent; l'essentiel est, les ayant commises, de les reconnaître et d'en découvrir les causes afin de s'en corriger.

Le problème est ici de savoir si cette tâche est possible à un éducateur isolé.

Oui! elle l'est, pourvu qu'on ait suffisamment d'habitudes d'intériorisation, et qu'on s'entraîne chaque jour à cette auto-analyse dont il vient d'être question.

Il faut dire toutefois qu'elle se réalise bien mieux à deux, par exemple lorsque le couple des parents pratique chaque jour le dialogue, l'entretien au sujet des enfants. Ce que l'un des parents ne voit pas, précisément du fait que c'est chez lui objet de refoulement, il arrive que l'autre le devine immédiatement et puisse par là éclairer son conjoint. Il y faut bien entendu un amour vigilant et une grande bonne volonté de part et d'autre, faute de quoi le dialogue deviendra dispute, chacun des partenaires accusant l'autre des erreurs commises, au lieu de reconnaître sa part personnelle de responsabilité.

Très fructueuses sont aussi en ce domaine les *réunions de groupe*, telles celles qu'on organise dans le dessein d'éduquer les parents en les informant et en répondant à leurs questions. Mais ici encore, bien plus efficace que l'information verbable est *la mise en commun des problèmes*, facilitant la prise de conscience par chacun des participants de ses propres difficultés intérieures. Par exemple, qu'un père ou une mère vienne exposer dans le groupe son cas particulier, et bientôt, de constater que son cas n'est pas unique, que d'autres parents l'ont eu aussi, fût-ce sous une forme quelque peu différente, d'en discuter ensemble, les amènera à une réflexion sur eux-mêmes plus féconde en résultats que celle qu'ils auraient pu avoir seuls. Le bénéfice est plus grand encore quand de tels groupes sont *animés par un psychologue* qui, sans intervenir d'une manière directe, souligne certains aspects de l'entretien, certaines attitudes des participants, certaines de leurs réflexions, lesquelles ont pu échapper à leurs auteurs, au moins dans leur signification (technique d'entretien qu'on appelle la *dynamique de groupe*).

Cela voudrait-il dire que psychanalystes et psychologues éduquent mieux que les autres les enfants dont ils ont la charge ? Nous n'oserions nous prononcer sur ce point, aucune étude d'ensemble n'ayant jusqu'ici été faite sur le sujet. Du moins, par leur formation, ont-ils plus que d'autres la possibilité de comprendre les problèmes de l'enfance et d'y réagir de la manière éducative la plus adéquate.

Il reste, comme nous l'avons souligné avec force, que *la condition essentielle d'une éducation saine, c'est l'amour que l'on porte aux enfants*, un amour sincère et clairvoyant qui, s'il n'évite pas complètement les erreurs éducatives, en atténue en tout cas beaucoup les effets fâcheux, en établissant et en maintenant ces bonnes relations affectives qui sont, comme on l'a vu, la nourriture indispensable à la vie et au développement des enfants.

BIBLIOGRAPHIE DES OUVRAGES FRANÇAIS ET DES OUVRAGES TRADUITS EN FRANÇAIS

(marqués d'un astérisque)

AMADO Georges, *L'affectivité de l'enfant*, 1969, P.U.F.

AUBRY Jenny, *La carence de soins maternels*, 1965, Nouvelle Bibliothèque Universitaire.

* BALINT Alice, *La vie intime de l'enfant*, 1937, Gallimard.

BAUDOIN Charles, *L'âme enfantine et la psychanalyse*, 1931, Delachaux et Niestlé; spécialement : *Éducation et psychanalyse;* vol. 2

BERGE André, *Le métier de parent*, 1952, Montaigne.

* BURLINGHAM et FREUD Anna, *Enfants sans famille*, 1949, P.U.F.

CORMAN Louis, *Psychopathologie de la rivalité fraternelle*, 1970, Dessart.
Manuel du test P N. Tome II : *Le complexe d'Œdipe*, 1971, P.U.F.

DOLTO Françoise, *Psychanalyse et pédiatrie*, 1971, Seuil.

FAVREAU et DOUMIC, *Psychanalyse et éducation*, 1956; dans le tome I de *Psychanalyse d'aujourd'hui*, P.U.F.

* FRAIBERG Selma, *Les années magiques*, 1971, P.U.F.

* FREUD Anna, *Initiation à la psychanalyse pour éducateurs*, 1968, Privat. *Le normal et le pathologique chez l'enfant*, 1968, Nouvelle Revue française.

* JUNG C. G., *Les conflits de l'âme enfantine*, 1935, Montaigne.

LEBOVICI et SOULÉ, *La connaissance de l'enfant par la psychanalyse*, 1970, P.U.F., spécialement chap. 3 : *Psychanalyse et éducation.*

MALE Pierre, *Étude psychanalytique de l'adolescence ;* dans le tome I de Psychanalyse d'aujourd'hui, 1956, P.U.F.

MAUCO Georges, *Psychanalyse et éducation*, 1967, Aubier-Montaigne.

OSTERRIETH P., *Introduction à la psychologie de l'enfant*, 1969, P.U.F.

* PFISTER, *Utilité de la psychanalyse pour les éducateurs*, 1913, Klinkhardt-Leipzig.

POROT Maurice, *L'enfant et les relations familiales*, 1954, P.U.F.

RACAMIER P, C., *Étude clinique des frustrations précoces*, 1953-54. Revue franç. de Psychanalyse; t. 17-18.

RAMBERT Madeleine, *La vie affective et morale de l'enfant*, 1945, Delachaux et Niestlé.

* SCHRAML, *Initiation à la pédagogie psychanalytique*, 1970, Salvator.

SMIRNOFF V., *La psychanalyse de l'enfant*, 1968, P.U.F.

* SPITZ René, *La première année de la vie de l'enfant*, 1958, P.U.F.

* STECKEL W., *L'éducation des parents*, 1938, Gallimard.

* ZULLIGER H., *La psychanalyse à l'école*, 1930, Flammarion. *Les enfants difficiles*, 1950, L'Arche. *Le jeu de l'enfant*, 1969, Bloud et Gay.

LEXIQUE DE RÉFÉRENCE AUX PRINCIPALES NOTIONS EXPOSÉES DANS CET OUVRAGE

A

C

E

F

G

J

L

M

P

S

T

U

V

TABLE DES MATIÈRES

LIVRE II

LE DÉVELOPPEMENT ANORMAL ET L'INADAPTATION

LIVRE III

L'ÉDUCATION ET L'INCONSCIENT DES ÉDUCATEURS

Imprimé en Belgique par G E D I T S. A., Tournai — 6.921

MANUELS DE PSYCHOLOGIE ET DE SCIENCES HUMAINES

Georges Thinès

Psychologie des animaux

Jean Paulus

la fonction symbolique et le langage

deuxième édition

Marc Richelle

l'acquisition du langage

deuxième édition

CHEZ LE MÊME ÉDITEUR